SERENA VALENTINO

A mais bela de todas

A HISTÓRIA DA RAINHA MÁ

São Paulo
2023

Grupo Editorial
UNIVERSO DOS LIVROS

© 2016 by Universo dos Livros

Todos os direitos reservados e protegidos pela Lei 9.610 de 19/02/1998.

Diretor editorial: **Luis Matos**

Editora-chefe: **Marcia Batista**

Assistentes editoriais: **Aline Graça e Letícia Nakamura**

Tradução: **Jacqueline Valpassos**

Preparação: **Guilherme Summa**

Revisão: **Laura Moreira e Francisco Sória**

Arte: **Francine C. Silva e Valdinei Gomes**

Diagramação: **Sharlene B. Dantas**

Capa: **Francine C. Silva**

3ª reimpressão

Dados Internacionais de Catalogação na Publicação (CIP)
Angélica Ilacqua CRB-8/7057

V236m

    Valentino, Serena
    A mais bela de todas: a história da Rainha Má / Serena Valentino;
tradução de Jacqueline Valpassos. – São Paulo : Universo dos Livros, 2016.
    208 p.; il.

    ISBN 978-85-7930-993-9
    Título original: *The fairest of all: a tale of the Wicked Queen*

    1. Literatura infantojuvenil 2. Ficção I. Título II. Valpassos, Jacqueline

16-0169   CDD 028.5

Índices para catálogo sistemático:
1. Literatura infantojuvenil

Universo dos Livros Editora Ltda.
Avenida Ordem e Progresso, 157 – 8º andar – Conj. 803
CEP 01141-030 – Barra Funda – São Paulo/SP
Telefone: (11) 3392-3336
www.universodoslivros.com.br
e-mail: editor@universodoslivros.com.br

Dedicado com amor ao meu pai, que sempre me disse que eu era bela, mesmo quando
eu mesma não enxergava isso.

— S. V.

CAPÍTULO I

PÉTALAS DE ROSA, BEIJOS E BOLO

Nas macieiras em flor no pátio do castelo, em meio aos delicados botões de pétalas levemente rosadas, cintilavam esferas prateadas, semelhantes a bolas de Natal, que refletiam o sol intenso.

Guirlandas de glicínias e gardênias haviam sido penduradas sobre o poço de pedra ao pé da escadaria do castelo, que estava coberta por um verdadeiro tapete de pétalas de rosa vermelhas e cor-de-rosa. Uma centena de criados, trajando requintados uniformes azul-escuros com enfeites em prata, postava-se junto ao portão principal do castelo, pronta para receber a multidão de convidados do casamento real que começava a adentrar o pátio agora. Parecia que o mundo inteiro estava ali reunido, ao lado do antigo poço, esperando para ver de perto a beldade que era a nova noiva do Rei – de uma formosura tão rara que parecia ter saído magicamente das lendas e dos mitos, a adorável filha do renomado Artesão de Espelhos. O pátio estava abarrotado com a realeza de reinos vizinhos, todos aguardando o início do casamento.

A Rainha estava sozinha em seu quarto, olhando para o seu reflexo no espelho – que a encarava de volta com bastante apreensão. Afinal, que mulher no mundo poderia ter sua vida tão completamente mudada e não sentir ao menos uma pontinha de ansiedade? Ela estava se casando com o homem que amava, tornando-se uma mãe para a filha dele, e prestes a se tornar rainha daquelas terras. Rainha. Ela deveria estar feliz, mas havia alguma coisa naquele espelho que a invadia com um terrível sentimento de medo que ela não conseguia explicar.

Verona, a dama de companhia da Rainha, pigarreou para anunciar sua presença e, em seguida, entrou apressada no aposento. Os olhos claros de Verona, da cor do céu, brilhavam de contentamento. A dama resplandecia com uma luz que parecia vir de seu interior, iluminando-lhe a pele alva e fazendo seus cabelos dourados como o mel reluzirem.

A Rainha sorriu debilmente quando Verona a abraçou. Nunca estivera cercada de tanta beleza. Nem conhecera a felicidade. Não até chegar àquela corte. E agora, ali estava uma mulher a quem ela amava como uma irmã.

Branca de Neve seguiu Verona até os aposentos da Rainha. Era uma criaturinha adorável de três ou quatro anos, com um caminhar saltitante de alegria e um brilho de felicidade inextinguível em seus olhos. Sua pele era mais clara do que a neve virgem, os lábios pequenos e carnudos mais vermelhos do que o rubi mais rubro, e os cabelos tão negros como as penas de um corvo. Parecia uma boneca de porcelana delicada que tinha ganhado vida – especialmente naquele dia, trajando seu vestidinho vermelho de veludo de seda.

Verona segurou Branca de Neve por sua mãozinha, esperando que isso demovesse a menina de ficar brincando com o bordado em pedrarias de seu vestido delicado.

– Branca de Neve, minha querida, pare de puxar as contas do seu vestido, assim você vai estragá-lo antes mesmo de o casamento começar.

A Rainha sorriu e disse:

– Olá, meu belo passarinho; você está tão adorável hoje...

Branca de Neve corou e escondeu-se atrás das saias de Verona, espiando sua madrasta.

– Sua nova mamãe não está linda hoje, Branca de Neve? – perguntou Verona.

Branca assentiu com a cabeça.

– Então, diga isso a ela, querida – persuadiu-a Verona, enquanto se curvava para baixo, sorrindo para a tímida garotinha.

– Você está muito bonita também, mamãe – disse Branca de Neve, derretendo o coração da Rainha.

A Rainha abriu os braços para a criança, e com o gentil encorajamento de Verona, Branca de Neve avançou para aceitar o abraço da Rainha. Branca era de fato uma menininha encantadora, uma criaturinha adorável; isso apertava o coração de sua madrasta, como se a beleza da criança a machucasse profundamente. Quando tomou Branca de Neve em seus braços, a Rainha foi preenchida por um amor que jamais experimentara. Ela pensou que a força daquele amor poderia fazer seu coração explodir, e no recôndito de seu ser, quase desejou absorver a beleza daquela criança, para que ela própria pudesse ser verdadeiramente bela.

– Você está estonteante, minha Rainha – elogiou Verona, com perspicácia, como se ela tivesse lido o âmago inseguro da Rainha.

A Rainha examinou-se no espelho outra vez, e viu algo de sua mãe olhando-a de volta. Lembrou-se do dia em que o Rei comentara sobre sua semelhança com ela. Talvez ele estivesse certo. Era possível que ela se parecesse com a mãe, mas nunca tinha notado isso até aquele momento, ali de pé no mesmo vestido de noiva que a mãe tinha usado no dia do próprio casamento.

O vestido era de um vermelho intenso que, de alguma forma, o passar dos anos não havia conseguido esmaecer. Era bordado num extravagante padrão de melros, e adornado com cristais fumê negros que cintilavam à luz. O coração da Rainha alegrou-se e, então, rapidamente foi tomado pela tristeza. Como seria maravilhoso ter a mãe ali com ela naquele momento. Como seria maravilhoso *simplesmente* ter a mãe.

A Rainha conhecia a mãe apenas da pintura que decorava a casa de seu pai. Mas, quando criança, ela olhava para o quadro, admirada com a beleza da mulher, profundamente apaixonada por ela, e ansiando por seu abraço. Ela imaginou aquela mãe que jamais conhecera tomando-a nos braços, dançando em círculos, as joias que adornavam ambos os seus vestidos refletindo a luz, enquanto elas riam.

A Rainha despertou de seu devaneio para olhar para Branca de Neve, que brincava com as borlas das cortinas do outro lado do quarto. Apesar de toda alegria em seus olhos e coração, a Rainha sabia que a pobre criança sentia a falta da mãe. Devia haver um vazio dentro da menina, um sentimento inconsolável.

A Rainha franziu a testa, sabendo que não havia nada que pudesse fazer para substituir a primeira esposa do Rei. Como seria possível que Branca de Neve amasse outra mulher tanto quanto a própria mãe? E, principalmente, como ela poderia amar alguém como a Rainha, cuja vida até agora havia sido, na melhor das hipóteses, uma sequência de conquistas medíocres rodeada por tédio e tristeza?

Enquanto a criança brincava sob o olhar vigilante de Verona, a mente da Rainha divagou ainda mais, transportando-se para o dia em que conhecera o Rei na loja de espelhos do pai. A reputação de seu pai como exímio artesão havia se espalhado a tal ponto, e sua arte tornara-se tão respeitada, que o próprio Rei sentiu-se no dever de visitar aquele que havia sido chamado de o melhor artesão de seu tempo.

Depois de examinar a espelharia de seu pai e de ser presenteado com um dos itens, o Rei foi conduzido para fora, onde a Rainha estava puxando um balde d'água de um antigo poço. O Rei ordenou a seus criados que parassem.

– Quem é essa garota? – quis saber.

– A filha do Artesão de Espelhos, Sire[1] – um criado respondeu.

O Rei caminhou até ela e pegou-lhe na mão. Surpresa, ela deixou cair o balde aos pés dele, encharcando suas botas e meias.

A Rainha olhou para cima, receosa, esperando uma reprimenda severa, talvez até mesmo ser aprisionada em suas masmorras. Mas o Rei simplesmente sorriu. E então falou com ela.

---

1 Tratamento que se dava outrora aos senhores feudais e hoje em dia a reis e a imperadores. (N. T.)

Pensou que estivesse só brincando quando lhe falou como ela era linda. E que, de todas as criações de seu pai, ela era a melhor.

– Por favor, não diga essas coisas para mim, Vossa Majestade – dissera ela sem jeito, fazendo uma mistura de mesura com reverência, enquanto lutava para evitar os olhos azul-claros do Rei.

– E por que não deveria? Você deve ser a donzela mais bela destas terras. Não, certamente você é a mais bela de *todas* as terras que já conheci. Não é de admirar que seu pai faça espelhos para refletir a sua beleza.

A Rainha tinha lutado para não olhar para o rosto do homem que governava todo aquele reino, inclusive aquele poço do qual ela estava tirando água.

Então, tão rápido quanto havia surgido, o Rei se fora. Prometendo, entretanto, retornar em breve. A Rainha ficara perplexa e confusa. Como era possível o Rei sentir-se assim em relação a ela? Dentre todas as donzelas do reino?

Ela.

O pai da Rainha sorriu afetadamente.

– Você obviamente o enfeitiçou, filha – disse ele, enquanto a Rainha observava a comitiva do Rei se afastar, desaparecendo ao mergulhar no declive de uma colina, apenas para ressurgir no próximo aclive, aparentemente menor e certamente mais distante.

Naquela noite, ela sentou-se em seu minúsculo quarto, que também era o quarto de despejo, espiando pela janela o céu salpicado de estrelas. *Poderia estar o Rei pensando nela naquela noite?*, ela especulou, enquanto olhava para as estrelas, imaginando sua mãe a velar por ela lá de cima, voando através da escuridão; as joias cintilantes de seu vestido, camuflando-a entre o cobertor de luzes celestiais que brilhavam no céu à noite. Ela imaginou que estava voando ao lado de sua mãe, testemunhando a morte e o nascimento de sóis numa explosão. Estava cercada por poeira estelar luminescente, flutuando na escuridão pontilhada de brilhantes iridescências. Foi a lembrança do Rei que a trouxe de volta para o seu humilde quarto.

Tinha certeza de que ele não voltaria por ela.

Logo após a partida do Rei, a Rainha sofreu uma nova perda – seu pai.

Nos dias seguintes à morte do pai, sua própria vida foi inundada de luz. Era como se, ao deixar este mundo, seu pai houvesse levado com ele toda a escuridão e deixado-a em um lugar onde ela pudesse ser capaz de encontrar, se não o amor e a felicidade, pelo menos algo mais do que ela tinha tido até então.

No dia em que seu pai morreu – antes que a notícia chegasse até o Rei ou a qualquer outra pessoa no reino –, a Rainha levou cada um de seus espelhos para a luz lá fora. Pendurou os menores em um bordo gigante que havia no terreno. Foi notável. Os espelhos balançavam na brisa, captando a luz solar e refletindo-a das formas mais magníficas e incomuns. Raios e feixes de luz dançavam nas folhas do bordo. Os reflexos, como fadinhas brincalhonas, mosqueavam a casa e os jardins.

Não demorou muito e viajantes vieram de longe para ver o belo tributo que ela estava prestando ao pai.

Inclusive o Rei.

– Seus olhos estão cintilando deslumbrantemente à luz refletida pelos espelhos de seu pai – disse o Rei, parado sob o sol ofuscante.

O fulgor iluminava os seus olhos escuros, deixando-os com um tom caramelo-claro. O Rei lhe disse que ela era encantadora. Um terror apossou-se dela. *Encantadora.* E se sua beleza fosse apenas isso, como seu pai havia afirmado: um encantamento? Seria justo ela enganar um homem tão gentil e amoroso? Ou seria possível que realmente possuísse certa beleza?

O Rei entrou em sua casa e, incerta sobre como se comportar, ela apenas o seguiu.

– É você nesse retrato? – perguntou o Rei, olhando para o único objeto de decoração na acanhada sala de estar da modesta habitação.

– Essa era a minha mãe, Sire. Eu nunca a conheci.

– A semelhança é espantosa.

– Quem me dera ser tão bonita quanto ela.

– Você é praticamente uma cópia dela. Você deve enxergar isso.

A Rainha apenas olhou para o retrato, admirada, desejando que as palavras dele fossem sinceras, mas incapaz de tomá-las por qualquer coisa que não uma lisonja de alguém que deveria estar precisando de algo dela. A propriedade de seu pai, talvez? Os espelhos que restaram? Fosse o que fosse o desejo do Rei, não poderia ser ela própria.

Mas, com o decorrer do tempo, e depois de muitas visitas, parecia que *ela* era tudo o que o Rei desejava. Sua vida começou a parecer um sonho: iluminada, etérea, de tirar o fôlego. Os súditos do Rei a acolheram. Ao redor das fogueiras à melodia da harpa dos menestréis, todo o reino – e até mesmo além de seus limites –

cantava sobre a bela filha do renomado Artesão de Espelhos, que havia roubado o coração do Rei.

Verona interrompeu os pensamentos da Rainha, trazendo-a de volta ao presente.

— A corte, ou melhor, o *reino* inteiro deseja contemplar sua nova rainha. Já é hora de irmos para lá.

A Rainha sorriu.

— E que bela impressão nós três causaremos ao desfilar — ela comentou, enquanto pegava Verona e Branca pelas mãos e punha-se a caminho da celebração do casamento.

Verona não tinha exagerado. Enormes multidões se reuniam do lado de fora, e a Rainha podia ver isso através das pequenas janelas que pontilhavam a parede enquanto ela descia a escada em espiral. Entre a multidão, a Rainha reconhecia o tio mais querido do Rei, Marcus, que a avistou de relance através da janela e sorriu. Era um homem grande, despenteado e risonho. A Rainha lembrou-se de que a esposa dele, Vivian, tinha adoecido recentemente. E, no entanto, ele estava ali pelo sobrinho. Estava ao lado de seu querido amigo, o caçador oficial da corte, que era um homem bonito, de boa compleição, com olhos, cabelo e barba escuros.

Havia reis e consortes de outras terras. E as três primas esquisitas do Rei, que se vestiam estranhamente e não se desgrudavam. Elas sorriram em uníssono e inclinaram a cabeça, pensativas, ao mesmo tempo. A Rainha observou seu comportamento estranho quando passou por outra janela, em formato de uma enorme letra "X".

O castelo inteiro estava esplendorosamente iluminado com luz de velas, brilhante e climática, evocando imagens do feriado favorito da Rainha, o solstício de inverno. Havia tantas velas acesas que o salão estava quente. Quente *demais*. As faces da Rainha coraram e sua cabeça começou a girar. Seu coração batia forte enquanto ela cruzava o corredor em direção ao seu Rei. Ele a esperava ao lado do velho poço, que ele havia ordenado que fosse trazido da casa do Artesão de Espelhos para o pátio do castelo, a fim de que pudesse sempre recordar-se de onde ele vira pela primeira vez a Rainha.

Com a ajuda de Verona, a Rainha firmou-se e concentrou sua atenção em seu Rei, que estava sorrindo, cheio de júbilo. Ele, que já era bonito, estava ainda mais belo em seu traje formal, com o cabelo escuro e olhos claros. Sua espada reluzia na cintura, e as botas altas brilhavam à luz das velas.

A Rainha sentia-se como se estivesse flutuando em um sonho. Mulheres com rostos maquiados, brancos como lençóis, e com bochechas e lábios rubros como rosas olhavam-na enquanto passava por elas. Ela se esforçou para não ler as expressões em seus rostos, focando o olhar no seu noivo.

Mas certamente estavam sorrindo de forma condescendente enquanto ela passava, algumas com pequenos buquês de jasmim nas mãos, que exalavam um perfume inebriante e um tanto opressivo. Não só estariam com inveja de seu casamento, mas também pensando "por que ela? Dentre todas as donzelas do reino, por que essa garota camponesa?". E com certeza também cochichavam entre si, acusando-a de ter usado um encantamento para fisgar o Rei, e olhares malévolos amaldiçoando-a.

Ela finalmente chegou ao Rei, que estava de pé ao lado do poço, e ele tomou-a pela mão. Talvez ele tenha percebido sua tontura e os joelhos bambos. Mas o coração da Rainha finalmente desacelerou quando fixou o olhar no dele. A cerimônia começou. Verona e Branca ficaram de lado. O celebrante aproximou-se do casal. O Rei e a Rainha trocaram juras de amor, alianças e, finalmente, um beijo.

Suprema felicidade.

A multidão irrompeu em aplausos, e se o Rei não a tivesse segurado, a Rainha teria caído desmaiada. Houve uma pequena explosão e, em seguida, derramou-se uma chuva de pétalas de rosa iluminadas por raios de luz que atravessavam os vitrais coloridos, envolvendo todo o castelo numa atmosfera de magia e encantamento. Ela estava apaixonada. Era bela. E era a Rainha.

Todo mundo que ela encontrava comentava sobre a sua beleza. Ela tentava não deixar tais elogios subirem à cabeça. Mas, quando pensava nisso, sua cabeça, que já estava meio atordoada, perdia o rumo de vez. O dia transcorreu em meio a uma névoa rósea. Sua mão deve ter sido beijada umas mil vezes, e ela nunca dançou tanto em toda a sua vida, nem mesmo quando era pequena, com a sua Babá.

Oh, Babá. Como desejava que ela estivesse ali para vê-la naquele dia. Ela se lembrou de algo que a Babá lhe havia dito na cozinha da casa de seu pai, numa manhã ensolarada, enquanto ela comia morangos com creme.

— Você é linda, minha querida, realmente. Nunca se esqueça disso, mesmo que eu não esteja aqui para lembrá-la.

— Não esteja aqui? Mas aonde você iria?

— Dançar com sua mãe no céu, querida. Um dia você se juntará a nós, mas só depois de muitos e muitos anos.

– Não, Babá, fique aqui e dance comigo agora! Eu não quero que você se vá. Nunca! – E assim elas dançaram, girando em círculos, rindo e aproveitando o sol que entrava pelas janelas. Essa era uma das muitas maneiras com que a Babá procurava animá-la: morangos, creme e dança.

Ela deveria fazer a mesma coisa com Branca, em breve. Esse pensamento a fez sentir-se leve e protegida. Ela viveria feliz com o Rei e sua linda e delicada flor de menina. Ela criaria e amaria aquela criança como se fosse sua. Iria lhe dizer como ela era bonita todos os dias de sua vida, e elas dançariam juntas e ririam como mãe e filha. Elas *seriam* mãe e filha.

Ela caminhou até a borda da pista de dança, onde Branca e Verona estavam paradas observando os nobres casais bailarem, rodopiando pelo salão como as flores que flutuam numa doce e suave brisa de verão. A Rainha ergueu a criança no colo, abraçou-a, e levou-a para o redemoinho colorido dos vestidos das elegantes damas. Ela dançou com a menina, apertando-a com força contra o peito, sentindo aquela onda de amor novamente, enquanto dançavam juntas no que parecia ser um jardim vivo de cor e som.

O Rei se juntou às duas, e a nova família riu até as primeiras horas da manhã, muito depois de os últimos convidados partirem ou se recolherem aos seus aposentos dentro do castelo.

Exaustos e zonzos após tantas horas de festa e dança, o Rei e a Rainha levaram a menininha adormecida para o quarto dela.

– Boa noite, passarinho – disse a Rainha enquanto beijava Branca.

A bochecha da menina pareceu macia como seda aos lábios da Rainha. Ela deixou a criança mergulhada em seus sonhos. Tinha certeza de que eles estavam povoados por encantadoras damas rodopiando ao som da música, e vestidos e bandeiras coloridas para onde quer que olhasse ao seu redor.

O Rei tomou sua nova esposa pela mão e levou-a para o quarto do casal. A luz da aurora, filtrada pelas cortinas, lançava uma claridade sobrenatural ao cômodo. Eles ficaram ali parados por um momento, olhando um para o outro.

Suprema felicidade.

— Vejo que você abriu o meu presente — observou o Rei, olhando para o espelho.

O espelho era em formato oval e ricamente ornamentado, dourado, com borda em filigrana, e encimado com o entalhe de uma coroa digna de uma rainha. Era quase perfeito. Mas alguma coisa nele a fez sentir o mesmo mal-estar que a abalara antes da cerimônia. Seu peito se apertou e o aposento de repente pareceu-lhe opressivo e confinado.

— Qual é o problema, meu amor? — perguntou o Rei.

A Rainha fez menção de falar, mas não podia.

— Você não gostou? — ele perguntou, parecendo desapontado.

— Não é isso, meu amor, eu... Eu só estou... cansada. Muito cansada — ela finalmente murmurou. Mas não conseguia tirar os olhos do espelho.

O Rei segurou-a pelos ombros e puxou-a para perto dele, beijando-a.

– Claro que você está exausta, meu amor. Foi um dia terrivel-mente longo.

Ela correspondeu o beijo, tentando afastar todo o medo de seu coração.

Estava apaixonada. Num estado de suprema felicidade. E ela não iria permitir que coisa alguma arruinasse aquele dia.

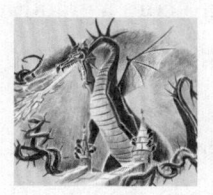

Capítulo II

Dragões e cavaleiros

Na quarta noite após o casamento, a Rainha finalmente pôde ficar a sós com sua pequena família. Alguns convidados e parentes próximos que ainda permaneciam por lá desde a cerimônia haviam retornado para os seus próprios reinos. A Rainha acabara de se despedir do tio-avô do Rei, Marcus, naquela manhã depois do café. Ele era um homem engraçado, que tinha de largura quase o mesmo tanto que de altura. Atarracado, robusto e com uma boa constituição para um homem da sua idade. Era gentil e não restava dúvida de que adorava o sobrinho e, por isso, ela nem se aborreceu com sua permanência no castelo além do esperado. O Rei, junto ao Tio e ao Caçador do castelo, tinha passado dias na floresta caçando animais silvestres para os banquetes da noite.

— Pode ser que você nunca mais volte a me ver, minha querida — Tio Marcus havia dito, enquanto se despedia da Rainha. — Partirei para o sul em busca de dragões! É um negócio arriscado, dragões de pântano, mas não tão perigoso como dragões de caverna, isso eu posso lhe garantir! Eu já lhe relatei meu encontro com a grande besta de safira? A criatura mais bela e mortal que eu já persegui? Ela quase queimou toda a minha barba!

Tio Marcus ficava muito entusiasmado quando falava de dragões; ele gesticulava animadamente, demonstrando como sua barba havia sido chamuscada.

— E o que Lady Tia Vivian acha de suas aventuras, Tio? – perguntou a Rainha.

— Oh, ela tem ideias realmente loucas!

— Tem, é? E o que viria a ser isso? – perguntou a Rainha.

— Ela acha que é tudo fantasia. Pode imaginar? Fantasia, de fato! Ela acha que eu tenho medo de me tornar ocioso e entediado em sua companhia!

A Rainha riu de novo. Ela acabara se afeiçoando àquele homem e suas histórias mirabolantes de dragões espreitando em cavernas úmidas e suas grandes investidas para roubar seus tesouros.

— Bem, ainda assim eu sinto muito por ela não ter podido comparecer ao casamento, Tio. Gostaríamos muito que ela viesse nos visitar assim que estiver bem o suficiente para viajar.

— Oh, pode ter certeza de que logo logo a sua Tia Vivian irá baixar por aqui. E irá tentar dar as ordens por aqui também, se bem a conheço.

A Rainha estava pesarosa por vê-lo partir. Mas, ao mesmo tempo, feliz por estar a sós com o marido e a filha, ainda que o castelo parecesse demasiadamente silencioso após tantas festividades.

Ela fez os preparativos para um jantar em família em uma das salas de refeições menores. A Rainha preferia os menores aposentos do castelo. Faziam-na sentir-se mais em casa. Ali, ela não era uma Rainha. Era apenas esposa e mãe. Era ela mesma.

As paredes de pedra eram cobertas por luxuosas tapeçarias que retratavam cavaleiros em batalha ou donzelas encantadoras admirando a própria beleza no reflexo de lagos. A lareira era o grande destaque do aposento. Tinha duas vezes a altura de um homem e era decorada com um rosto de mulher, esculpido em finíssima pedra branca, cujos olhos, baixos e serenos, passavam a sensação de que o aposento estava protegido. O calor do fogo tornava a sala de jantar aconchegante. A Rainha às vezes se perguntava se a bela mulher esculpida na pedra branca tivera como modelo a falecida esposa do Rei, a mãe de Branca de Neve. Ela se perguntava se a figura em pedra estava ali para vigiar o lar e a família – para vigiar a *Rainha* –, e garantir que ela fosse uma mãe e esposa digna. A Rainha nunca perguntou ao marido, por medo de abrir suas antigas feridas. Ele amara profundamente a mãe de Branca de Neve, a Rainha sabia disso, e ela fazia o máximo para convencer a si mesma de que isso não diminuía o amor dele por ela.

Antes do jantar, o Rei entregou à Rainha uma pequena caixa com os escritos de sua primeira mulher. A caixa era decorada com entalhes ornamentais e possuía uma fechadura na forma de um coração trespassado verticalmente por uma espada. E o Rei disse à Rainha que originalmente a caixa guardava o parco dote de sua primeira esposa.

– Quando soube que estava morrendo, Rose decidiu documentar sua vida para que Branca de Neve pudesse conhecê-la um pouco – ele sussurrou para a Rainha. – Eu quero que você compartilhe isso com Branca de Neve quando achar que ela está pronta.

Saber que seu marido confiara-lhe tal tarefa confortou seu coração. Mas isso também a incomodou. Seria ela capaz disso? Poderia ela assumir tamanha responsabilidade? E se Branca de Neve se apaixonasse tão profundamente por sua mãe por meio de suas cartas a ponto de começar a se ressentir da Rainha?

– É claro – disse a Rainha.

Naquela noite, a Rainha usava um simples e elegante vestido de cintura império vermelho-escuro, arrematado com fitas pretas. Seus longos cabelos escuros estavam presos no alto da cabeça em forma de uma coroa de tranças entrelaçadas com fitas vermelhas e joias, e seus olhos escuros brilharam à luz do fogo quando ela sorriu ao ver sua filha entrando no salão de mãos dadas com o Rei. Branca de Neve estava usando um vestido azul-marinho, que destacava o rosado de suas bochechinhas rechonchudas. O Rei vestia uma de suas túnicas negras menos formais, mas ainda assim elegante, debruada em ouro.

– Ah! Meu amor – saudou o Rei, sorrindo, quando entrou na sala.

A nova família sentou-se para saborear uma bela refeição de pão de alecrim, manteiga doce, molho de queijo derretido, carne de porco assada e batatas-doces regadas com azeite e alho.

– Estou com saudade do Tio-avô Marcus! – disse Branca de Neve entre mordidinhas em seu pão embebido em molho.

A Rainha tinha cortado o pão de Branca de Neve em formatos interessantes, mergulhando-os em molho na esperança de estimular o apetite da menina. Branca de Neve era um pouco enjoada para comer.

— Passarinho, você não vai comer carne de porco? – insistiu a Rainha.

— Eu me sinto mal pelo porquinho, mamãe – revelou Branca de Neve.

— Tudo bem, minha menininha – a Rainha suspirou.

— Do que você sente mais saudade no seu tio, Branca de Neve? – perguntou o pai.

— Eu quero ouvir mais sobre os dragões, papai – respondeu Branca de Neve, seus olhos se iluminando enquanto ela endireitava as costas e fingia ser da raça rara de dragões cospe-gelo, dos quais o Tio Marcus havia falado.

O Rei sorriu com ar maroto.

— Ah, é? Então, talvez devêssemos brincar de dragões e cavaleiros!

Branca de Neve pulou de seu assento, derrubando-o, e disparou em direção à extremidade mais distante do salão.

— Tente me pegar, dragão! – gritou o Rei enquanto subia em sua cadeira e com um forte rugido pulava de volta ao chão e corria atrás da filha enquanto ela gargalhava e soltava gritinhos. Ele tomou-a em seus braços e sufocou-a de beijos.

— Socorro, mamãe! O dragão está me pegando!

A Rainha riu. Ela considerou a bela mulher de pedra. Parecia observá-la, sorrindo com benevolência para todos eles. A Rainha sentiu essa bênção de aprovação, e isso a deixou mais feliz do que jamais estivera.

– Devo pedir aos criados para levar as nossas deliciosas sobremesas para a saleta íntima? Nós podemos nos sentar junto à lareira e contar histórias até a hora de dormir, se vocês quiserem – disse a Rainha.

– Oh, sim! – comemorou Branca de Neve. A sala de jantar podia ser acolhedora, mas a saleta íntima era mais aconchegante ainda. Havia muitas almofadas e peles quentes espalhadas diante da lareira. As paredes eram praticamente todas preenchidas por enormes janelões envidraçados, e as portas se abriam para um encantador jardim repleto de belas flores em tons de rosa, vermelho e roxo. Durante a noite, o jardim era iluminado por velas e tochas.

Os três se aconchegaram juntos na saleta íntima para comer morangos com creme. Uma tempestade havia se formado e a chuva açoitava as janelas. Os olhos de Branca pareciam pesados de sono, e o Rei lhe disse que era hora de dormir.

– Não, papai! Só mais uma história, por favor! – implorou Branca.

– Meu repertório de histórias esgotou-se por esta noite, querida. Nós podemos continuar amanhã.

– Mamãe, conte *você* uma história de dragões, por favor.

A Rainha olhou inquieta para o marido. O Rei deu de ombros.

Incapaz de negar qualquer coisa ao seu passarinho, a Rainha pôs de lado suas inibições e cedeu:

– Era uma vez, há muito tempo, uma mulher triste, solitária e muito mal compreendida que fez um feitiço que colocou uma jovem princesa em um sono profundo, para sua própria segurança...

– Por que ela era triste, mamãe? – interrompeu-a Branca.

A Rainha pensou sobre isso um instante e disse:

– Acho que era porque ninguém a amava.

– Por quê? – perguntou a menina.

– Porque ela não amava a si mesma. Ela temia a rejeição porque era muito diferente de qualquer pessoa que já conhecera. Era tão cheia de medo que se afastara de tudo e de todos. Os únicos companheiros dessa mulher triste eram corvos, que planavam nos céus ao redor de sua casa, empoleiravam-se nas árvores e nas rochas, coletando informações para que ela tivesse notícias do mundo exterior. Foi assim que ela soube do batizado da princesa. Ninguém entendeu por que a mulher ficou tão furiosa por não ter sido convidada para o batizado. Mas, veja só, meu passarinho, ela sabia de algo que os pais da princesa e suas fadas madrinhas não sabiam.

– Eu pensei que você ia me contar uma história sobre dragões, mamãe – Branca interrompeu-a novamente.

– Eu estou contando, minha querida. Para você ter uma ideia de como essa mulher não era uma pessoa comum, ela tinha o poder de se transformar em um dragão, e quando fazia isso, virava uma criatura feroz e assustadora.

– Sério? – Os olhos de Branca estavam fechando, pesados de cansaço.

– Sério, mas estamos adiantando a história…

Antes que ela pudesse continuar o conto, Branca adormeceu em seus braços. O Rei pegou na mão da esposa e olhou para ela com ternura. O reflexo do fogo tremeluzia em seu rosto, fazendo-o parecer mais um anjo do que um rei.

– Você já se tornou uma mãe para ela. E eu adoro você ainda mais por isso.

O Rei continuou a falar:

– Sinto muito por ter que me afastar de você logo após a partida de nossos convidados, meu amor – disse ele com sinceridade no olhar.

– Afastar? – perguntou a Rainha, surpresa.

– Minha Rainha, eu não sou o tipo de rei que envia seus homens para morrer no campo de batalha sem compartilhar com eles o risco. Se a causa pela qual estamos lutando é justa, então deve valer o preço de minha vida, tanto quanto a de meus soldados.

A Rainha pensou que esta era uma ética honrada e valente. Mas isso não mudava o fato de que a ideia de seu marido no campo de batalha a paralisava de terror. E como era possível que ele preferisse estar em uma batalha arriscando a vida, quando ele era o rei e poderia optar por ficar em casa com ela? Ele estava colocando o seu dever acima de seu amor por ela? E ela – e Branca – não deveria ser prioridade em sua vida? E, então, um pensamento ainda mais preocupante adentrou sua mente – talvez suas palavras amorosas para com ela desde o namoro houvessem sido falsas e ele não desejasse outra coisa além de escapar dela, mesmo que isso significasse a morte certa.

– Vamos aproveitar ao máximo nosso tempo juntos, então – ela disse, cabisbaixa.

– E o que você vai fazer enquanto eu estiver fora? Como você vai passar os seus dias? – ele perguntou.

– Acho que vou levar Branca para a floresta para colher flores silvestres. E, se não se opõe, eu gostaria de levá-la para visitar o túmulo de sua mãe.

O Rei ficou em silêncio. Seus olhos se encheram de lágrimas. Era estranho ver um homem tão majestoso, ainda que mantivesse a expressão pétrea, desabar daquela maneira.

– Sinto muito, eu ultrapassei...? – a Rainha começou a falar.

– Não, meu amor, você não o fez. Significa muito para mim que você deseje que Branca saiba sobre a mãe dela. Você é uma mulher admirável. Você tem um belo coração, minha querida. E nem faz ideia de quanto eu a amo.

A Rainha beijou a face do Rei e se afastou dele.

– Eu também. Aguardaremos ansiosamente o seu retorno.

CAPÍTULO III

ESPELHO, ESPELHO MEU

A Rainha passou os meses seguintes familiarizando-se mais com seu novo lar. Com o Rei longe, Branca ocupava boa parte do tempo da Rainha. As duas faziam piqueniques na floresta, e a Rainha ensinou à criança pontos de bordado delicados. Ela contava à menina histórias de dragões enquanto se aconchegavam junto ao calor do fogo nos aposentos da Rainha, onde Branca dormia enquanto o Rei estava no campo de batalha.

As duas também passavam muitas tardes ensolaradas visitando o túmulo da mãe de Branca. O mausoléu era rodeado por um lindo, embora malcuidado, jardim repleto de roseiras rasteiras, glicínias, jasmins, madressilvas e gardênias – as flores preferidas da primeira esposa do Rei. O perfume chegava a ser inebriante. A Rainha sentava-se ali com Branca por horas, contando-lhe as histórias de sua mãe que viera a conhecer por meio das cartas que o Rei lhe confiara, chegando a ler algumas delas em voz alta.

— Minha primeira mãe era muito bonita? – perguntou Branca.

— Acredito que sim, minha querida. Vou perguntar ao seu pai se existem retratos que eu possa lhe mostrar. Tenho certeza de que ela era muito bonita.

Branca pareceu-lhe perturbada.

— O que foi, querida?

Branca inclinou a cabeça como um coelhinho faria ao ouvir um ruído. Aquilo derreteu o coração da Rainha.

— Bem, mamãe, como você pode *ter certeza* de que ela era muito bonita?

A Rainha sorriu com a precocidade da criança.

— Bem, meu passarinho, você é a criatura mais linda que eu já vi, o que só pode significar isso.

Branca pareceu ficar satisfeita com essa dedução.

— Conte-me mais sobre ela, por favor, mamãe. Qual era a cor preferida dela? Qual era a sobremesa preferida dela?

— Eu não sei ao certo, Branca, se ela falou sobre essas coisas em suas cartas. Mas eu sei que ela era uma amazona muito hábil. Ela adorava cavalos e esperava ensiná-la a montá-los quando você tivesse idade suficiente. Quer que eu a ensine a montar, minha querida?

— Oh sim, mamãe! Eu amo cavalos!

— Ama, é? Eu não sabia.

– Qual é a *sua* cor preferida, mamãe? É vermelho? Acho que deve ser vermelho, você está sempre usando.

– Sim, você está certa, passarinho.

– E a minha, mamãe? Você sabe qual é?

– Acho que é... azul.

– Isso mesmo, mamãe!

– Vamos colher algumas flores para levar para o castelo? Parece que logo vai chover. Devemos voltar correndo para casa antes que fiquemos ensopadas.

– Sim, mamãe. Vamos colher flores. Flores *vermelhas* e *azuis*!

Elas colheram flores enquanto começava a chover. De fato, chegaram aos degraus do castelo ensopadas, carregando ramalhetes de flores nas dobras de suas saias. Mas estavam felizes e as roupas encharcadas não conseguiam estragar essa sensação.

Verona estava esperando por elas quando retornaram ao castelo, as duas rindo com toda aquela travessura.

– Céus! Olhe só para vocês duas! Estão molhadas até os ossos. É melhor tirarem essas roupas encharcadas. Já mandei preparar banhos quentes para vocês. Vamos, vamos – disse Verona, pegando as flores daquelas beldades ensopadas.

– Você faria o favor de colocar as flores em vasos com água e distribuí-las pelo castelo, Verona? – a Rainha solicitou. Ela imaginava que encher o castelo com as fragrâncias favoritas da mãe de Branca pudesse fazer a garotinha sentir que a mãe estava perto dela. Como a Rainha desejava saber qual era o local de descanso de sua própria mãe...

– Claro, minha Rainha – respondeu Verona. Então, ela tratou de conduzir a Rainha para os seus aposentos, nos quais o banho havia sido preparado.

A Rainha passava a maior parte do tempo em um recanto do quarto onde ela se acomodava no que, estava certa, era o assento mais confortável em todo o reino – a poltrona de braços em feitio de trono estofada com almofadas de veludo e bordas felpudas. A poltrona ficava posicionada próxima à lareira, ao lado de um nicho de estantes com seus mais queridos manuscritos enfeitados por iluminuras. Com o marido longe, ela encerrava a maioria de seus dias ali, e o faria novamente aquela noite. Mas, primeiro, um banho.

Verona saiu, e a Rainha entrou na banheira relaxante. A água bem quente derreteu o gelo que parecia envolver cada um dos ossos da Rainha. Apesar da chuva e dos calafrios resultantes, ela havia passado um dia agradável com Branca.

Ainda assim, sentia uma falta terrível do Rei.

Ela ficou pensativa enquanto observava os redemoinhos de vapor subirem. O quarto era enorme. As paredes de pedra eram cobertas por detalhadas tapeçarias em vermelho, dourado e preto que pendiam de ornamentados varões fixados em suportes de ferro. As tapeçarias não apenas embelezavam o quarto como também mantinham do lado de fora o frio congelante.

A imensa lareira era ladeada por duas gigantescas estátuas que pareciam ter alma. Representavam belas e bestiais mulheres aladas, ambas com expressões graves e distantes, encarando-a lá do alto.

Uma batida suave na porta do aposento fez a Rainha sobressaltar-se.

– Verona, eu presumo? – certificou-se a Rainha.

– Sim, sou eu – respondeu Verona por trás da porta. – Minha senhora, tomei a liberdade de sugerir ao cozinheiro que fizesse alguns dos pratos favoritos de Branca para a refeição desta noite. A menina me parece um pouco tristonha.

A Rainha não respondeu.

– Ela está com saudade do pai – continuou Verona –, assim como você, estou certa. Ele já está longe há vários meses.

A Rainha considerou as palavras de Verona por um momento e, em seguida, rompeu o silêncio.

– O que seria de nós duas sem você, Verona. Nós lhe somos gratas e a amamos por isso.

– Obrigada, Majestade. Você precisa de mais alguma coisa? Mais água quente? Ou o seu roupão, talvez?

A Rainha já havia começado a sair da banheira, enrolando-se na enorme e macia toalha que havia sido esquentada em um pequeno aquecedor a carvão próximo a ela.

– Eu já saí da banheira, minha querida. Você pode entrar – disse a Rainha.

Como sua dama de companhia, seria dever de Verona banhar a Rainha. Mas a Rainha insistira que ninguém poderia vê-la sem maquiagem e não penteada. Ultimamente, entretanto, ela passara a se sentir muito mais à vontade com Verona, e havia permitido que a mulher a visse com o rosto ao natural e sem adornos.

Verona obedeceu, porém, inquieta e desconfortável, sem dúvida porque sabia como a Rainha sentia-se sobre outras pessoas a verem antes que estivesse arrumada.

– Tenho certeza de que em breve o Rei estará em casa, minha senhora – disse Verona, enquanto zanzava de um lado para o outro fingindo ajeitar pequenos detalhes no quarto, embora estivesse apenas tentando não olhar para o rosto sem maquiagem de sua rainha.

– Enquanto isso, talvez você e Branca devessem se distrair com uma pequena aventura.

– Ah, você tem um passeio em mente, minha irmã? – perguntou a Rainha, com um leve sorriso formando-se em seus lábios.

– O Festival da Maçã. Seus súditos ficariam encantados se vocês duas o prestigiassem. Seria um evento ainda mais empolgante se a rainha e a princesa estivessem lá para coroar a Miss Festival da Maçã.

A Rainha pensou a respeito. Ela continuava – mesmo depois de tantas cerimônias, festas e criados – não se sentindo muito à vontade quando rodeada de gente. Ela preferia ficar no seu canto. Mas, então, pensou na criança.

– Decerto você iria conosco? – perguntou a Rainha para Verona.

– Sem dúvida, minha Rainha – Verona exclamou, sorrindo alegremente e esquecendo-se de não olhar para o rosto da Rainha.

– Vamos comparecer, então.

– Obrigada, minha senhora – disse Verona, fazendo uma reverência. – Posso ser dispensada para fazer os preparativos?

– É claro, querida. Posso cuidar de tudo por aqui – respondeu a Rainha, de costas para Verona, olhando para o rosto de sua dama de companhia mediante o reflexo no espelho.

Entretanto, depois que Verona fez uma reverência e saiu, a Rainha percebeu algo que a perturbou seriamente – na verdade, aterrorizou-a. Assim que Verona fechou a porta do aposento e a Rainha se viu sozinha, algo pareceu se mover atrás dela no espelho – aquele com o qual o Rei a presenteara no dia do casamento. Alguma coisa, talvez alguém, estava ali dentro com ela. Mas não poderia ser. Ela examinou o quarto. Obviamente estava sozinha. Verona havia fechado a porta ao deixar o aposento e, como era costume, fechara-a também quando tinha entrado. Era impossível que alguém houvesse entrado de fininho. Ainda assim, ela tinha certeza de que vira um rosto surgir no espelho, logo acima de seu ombro.

Ela olhou para o espelho e, em seguida, vasculhou o quarto. Qualquer um que a visse pensaria que ela havia enlouquecido. Mas ela precisava se certificar de que, de fato, estava sozinha. E após uma busca exaustiva no aposento, chegara à única conclusão possível:

Devia ter sido um efeito de luz, era isso.

Acomodou-se em sua poltrona favorita para tranquilizar o coração acelerado. O calor do fogo a acalmou, e ela deslizou os dedos dos pés nus sobre o tapete de pele de urso. Devia estar perdendo a cabeça de tristeza. Desejou saber quando seu marido retornaria – *se é que* retornaria.

Seus olhos ficaram pesados, e ela começou a cabecear de sono. Mas não conseguiu dormir, não sem ter certeza de que estava realmente sozinha. Ela se levantou e caminhou novamente até o espelho. Só mais uma última olhada. Mais uma olhadinha só e ficaria sossegada. Ela se inclinou para o espelho para examiná-lo mais de perto. Talvez tivesse sido manipulado, ou estivesse enfeitiçado.

– Boa noite, minha Rainha.

A Rainha tentou gritar, mas não conseguiu emitir um som sequer de sua garganta apertada. Ela instintivamente golpeou o enorme espelho, arrancando-o da parede de pedra. O espelho se espatifou no piso de mármore. Mas, por um momento, a Rainha teve certeza de que vislumbrara a face estilhaçada de um homem olhando para ela através dos vários cacos espelhados. Então, ele desapareceu tão rápido quanto havia surgido.

– Vossa Alteza, o que aconteceu? A senhora está bem? – perguntou um criado detrás da porta. Pela forma como falava, ofegante, dava para a Rainha perceber que ele correra até ali. A Rainha procurou recuperar o fôlego.

– Eu estou… muito bem… obrigada. Apenas quebrei um espelho – respondeu a Rainha, sentindo-se um pouco tonta.

– Muito bem – disse o criado. – Vamos limpar isso.

Enquanto o criado começava a se afastar, a Rainha o escutou dizer alguma outra coisa. Ela podia jurar que ouvira o nome de seu pai ser pronunciado.

O criado voltou com outros para limpar a bagunça. A Rainha ficou observando enquanto seus criados deixavam o quarto pressurosos, carregando os pedaços do espelho quebrado. E, então, ela estava livre daquela maldita coisa.

Ainda assim, seus pensamentos continuavam sendo atormentados por imagens do homem no espelho enquanto ela se dirigia para a sala de jantar. O castelo estava mais silencioso sem as gargalhadas gostosas e a energia infantil do Rei. Até mesmo a pequena sala de jantar parecia imponente e vazia sem ele. E Verona estava certa – Branca parecia mesmo tristonha com a ausência do pai. Tentando animar a criança, a Rainha disse:

– Eu tenho uma surpresa para você, minha querida. Vamos participar do Festival da Maçã depois de amanhã. – Branca sorriu e pareceu-lhe que a beldade de pedra acima da lareira sorrira também.

Ah, se ao menos a Rainha conseguisse fazer o mesmo...

CAPÍTULO IV

O FESTIVAL DA MAÇÃ

— **M**amãe – perguntou Branca de Neve enquanto ela, Verona e a Rainha entravam na carruagem que as levaria ao festival –, já está na época de as folhas mudarem?

— Sim, querida – respondeu a Rainha.

Branca de Neve parecia confusa.

— Mas as flores da maçã não nascem só depois do inverno?

A Rainha sorriu.

— A maioria sim, passarinho. Mas as flores das macieiras do Bosque das Maçãs são diferentes. Ninguém sabe ao certo por que elas florescem no outono. Mas alguns dizem que, muito tempo atrás, uma jovem se perdeu na floresta. Foi no final do ano, perto do solstício de inverno, e a menina estava com frio, assustada e faminta. Ela se abrigou embaixo de um grupo de macieiras na floresta e, graças a uma estranha magia, o ar ao seu redor tornou-se mais quente e as árvores floresceram e deram frutos. A criança ficou aquecida e alimentada durante todo o inverno. E quando a primavera chegou, ela foi encontrada por seus pais tomados pela emoção, que pensavam que a tinham perdido para o frio e a neve.

Branca de Neve pensou sobre isso por um momento. E então ela se recostou no assento da carruagem e sorriu.

– Eu não gostaria de ficar longe de você e do papai, mamãe. Mas eu amo maçãs, e seria tão bom comê-las durante um inverno inteirinho!

A Rainha e Verona se entreolharam e sorriram diante da inocência da criança.

Então, a Rainha olhou para o lado de fora da carruagem e percebeu a grande comoção e alvoroço que sua chegada provocava.

Sentia-se culpada por não ter dado aos aldeões a devida notificação de seu comparecimento. Afinal, ela havia anunciado que estaria presente no festival apenas dois dias antes. Não era de seu feitio fazer uma aparição pública assim em cima da hora, sem dar ao povo o tempo necessário para os preparativos, mas ela estava desesperada para fugir um pouco da tristeza do castelo.

Parecia, no entanto, que o fato de não ter prevenido os aldeões com certa antecedência não lhes esmorecera nem um pouco a animação, e quando as três belas figuras desceram da carruagem, uma multidão de súditos com flores de maçã nas mãos saudou a Rainha e o seu séquito. Pétalas flutuavam languidamente no ar e aterrissavam ao redor delas e sobre suas cabeças. A Rainha percebeu como era impressionante o contraste das pétalas rosa-claro com o cabelo escuro de Branca, e pensou consigo mesma que deveria pedir ao alfaiate que fizessem um vestido rosa bem clarinho para a princesinha. Ela sorriu para seus súditos e, em seguida, sentou-se para assistir às festividades. Branca saboreava tortinhas de maçã enquanto observava as muitas moças bonitas que se apresentavam diante da Rainha na esperança de se tornar a Miss Festival da Maçã daquele ano.

— Você é mais bonita do que qualquer uma dessas garotas, mamãe. Você não acha, Verona? – perguntou Branca.

Mas Verona estava distraída com uma mensagem que acabara de ser entregue a ela por um jovem mensageiro.

A Rainha notou a carta nas mãos de Verona, e inclinou-se para lhe perguntar o que ela dizia.

Verona dobrou a carta. Em seguida, seu rosto se alegrou. Ela sussurrou para a Rainha:

— Minha senhora, o Rei estará em casa esta noite!

— Estará? Temos tanto a preparar antes de sua chegada! – A Rainha queria retornar imediatamente ao castelo, mas havia se comprometido com aquele evento, e não podia desapontar Branca nem os aldeões, seus súditos.

— Envie uma carta de volta pelo mensageiro para os outros serviçais – a Rainha sussurrou para Verona. – Diga-lhes que eu gostaria de fazer a mais grandiosa celebração para o retorno do Rei.

E, enquanto a programação do Festival da Maçã ia se desenrolando e a Miss Festival da Maçã era escolhida, a Rainha fez o que pôde para se concentrar na festa e não deixar toda a sua atenção ser desviada para o iminente retorno de seu esposo. Ela decidiu que iria organizar um magnífico banquete de porco assado – prato favorito de seu marido – e, para si mesma e Branca, faisão ao molho de vinho com cogumelos selvagens. A mesa iria ceder sob o peso dos pratos requintados: peras caramelizadas, damascos com glacê, batatas-vermelhas assadas com alecrim e jarros de sidra quente temperada e vinho. Todos no castelo se regalariam com boa comida em comemoração ao retorno do Rei.

A Rainha, incapaz de conter a boa notícia por mais tempo, contou a Branca sobre o retorno de seu pai durante o trajeto de carruagem de volta para casa. E quando elas chegaram ao castelo, o Grande Salão já estava repleto de velas brilhando, lareiras aconchegantes e conversas amistosas. Branca correu para o piso superior com Verona para banhar-se e vestir-se para a chegada de seu pai. A Rainha tratou de fazer o mesmo – esfregando-se freneticamente e perfumando-se, pintando o rosto, arrumando o cabelo. E durante esse tempo todo um sorriso radiante iluminava o seu semblante.

Quando chegou ao grande salão, Branca já estava lá – parecia tão pequena e delicada sentada em sua poltrona de espaldar alto, naquele lugar imenso. Antes que os preparativos tivessem sido concluídos, antes mesmo de a Rainha assentar-se, houve uma fanfarra de trombetas. Branca sabia o que isso significava, e ela pulou de sua cadeira e correu em direção à entrada do castelo. A Rainha a seguiu, sua velocidade restringida pelo vestido formal.

O Rei irrompeu no salão.

– Então, como as minhas duas lindinhas estiveram ocupando seu tempo enquanto eu estive fora? – perguntou ele. Uma forte aclamação reboou no castelo. Branca se atirou em seus braços, e ele girou a criança no ar e a beijou.

Ele havia retornado dos campos de batalha um homem diferente. A Rainha notou uma cicatriz acima de sua bochecha direita. Seu cabelo não estava tão penteado como normalmente estaria e sua barba havia crescido de forma rude e irregular. E não era apenas a sua aparência física que tinha mudado. Seus olhos carregavam uma expressão de pesar e confusão. Remorso, talvez. Ainda assim, por baixo daquela dor, a Rainha ainda podia ver a limpidez do azul-claro que ela tanto amava.

Uma emoção que a Rainha jamais sentira brotou dentro dela. Era uma coisa que não conseguia explicar, algo entre tristeza profunda e puro êxtase. Seus lábios começaram a tremer e ela podia sentir a pressão das lágrimas pesando em seus olhos. Ela correu para o Rei e o abraçou junto à criança.

— Eu senti tanto a sua falta! – disse ela.

— Mamãe coroou a Miss Festival da Maçã! Oh, papai, ela estava tão linda com flores de maçã no cabelo!

— Era assim tão bela a donzela? – perguntou o Rei. Branca fez uma careta, como se seu pai devesse saber que ela estava falando sobre a mãe e não sobre a Miss Festival da Maçã. – Eu estava falando da mamãe, ela era a garota mais bonita lá! Ela é que deveria ter sido a Miss Festival da Maçã!

— Oh, eu tenho certeza de que *ela* era a mais bela. Parece-me que vocês desfrutaram de dias adoráveis sem mim, minhas queridas, desculpem-me por tê-los perdido.

– Tudo bem, papai! Mas me ocorreu uma coisa. Se você fizesse amizade com dragões, papai, você seria capaz de voar para casa mais rapidamente. Ou talvez você pudesse até aprender a *se transformar* em um dragão, como a mulher do conto da mamãe.

O Rei e a Rainha riram das doces palavras da filha e, em seguida, juntaram-se aos convidados, que já tinham começado a celebrar.

Então, de repente, uma explosão sacudiu o castelo. Gritos de terror irromperam do salão de banquetes, e criados correram para se esconder em qualquer canto do salão que parecesse seguro.

– Branca de Neve! – a Rainha gritou, incapaz de encontrar a criança em meio à multidão em pânico, ou através da espessa fumaça que se alastrava pelo salão. – Branca!

Os homens que haviam retornado tão recentemente bradaram gritos de guerra. E num piscar de olhos já estavam todos trajados e armados, mais rápido do que qualquer homem poderia se arrumar num dia normal. A Rainha estava desorientada. O que estava acontecendo?

De repente, a grande porta de madeira do salão desabou. A Rainha gritou, apavorada com o que estava acontecendo.

– Branca de Neve! – ela gritou novamente, mas a criança não respondeu.

Homens a cavalo vestidos de azul-real, invadiram furiosamente o salão, mas os soldados do Rei pareciam estar conseguindo contê-los, por enquanto.

Então, a Rainha sentiu uma mão forte agarrar o seu braço e puxá-la, afastando-a do confronto. Ela se assustou e virou-se para ver quem a tinha agarrado daquela forma. Era o Rei! E ele estava segurando uma aterrorizada Branca de Neve em seus braços.

— Venha — ele chamou.

A Rainha sentia-se fraca, com as pernas bambas, mas seguiu-o da melhor forma que pôde.

— Quem são eles? — ela perguntou ao marido enquanto ele a conduzia por um dos corredores do castelo, onde os homens continuavam a se preparar para a batalha.

— O exército inimigo da nossa mais recente batalha. Eles devem ter nos seguido na volta para casa. Lamento ter colocado você e Branca de Neve assim em perigo.

Branca continuava a tremer e mantinha a cabeça enterrada no ombro do pai, olhando para cima de vez em quando para ver se os homens ainda estavam atacando, se a fumaça ainda estava se alastrando pelos salões. Berros e gritos de guerra ecoavam pelo castelo. Quando o Rei destravou a porta para o calabouço, ele pegou uma tocha e rapidamente conduziu a Rainha e Branca por uma escada em espiral descendente. O calabouço era úmido e frio e, em meio à escuridão, a Rainha teve dificuldade em se situar. O Rei tateou pelo chão do calabouço e localizou um alçapão.

— Pegue esta tocha — ele disse à Rainha. — Desça as escadas, e lá embaixo você encontrará um pequeno barco a remo que a levará para fora do castelo em segurança.

— Você virá conosco! — exigiu a Rainha.

— Vou protegê-las da maneira que melhor conheço. Agora pegue Branca e vá! — o Rei ordenou, e então ele correu para fora do calabouço mais uma vez.

A Rainha apertou a criança trêmula nos braços e seguiu em direção ao barco que o Rei prometera que estaria esperando por elas. A Rainha prendeu a tocha em um suporte no barco e saltou para dentro. Branca de Neve se agarrava a ela, e a Rainha encontrou dificuldades para remar o barco e segurar a criança ao mesmo tempo. Mas tinha que fazê-lo! E assim o fez.

Logo o barco estava flutuando para fora do castelo, seguindo por um riacho em direção ao pântano que rodeava a propriedade. Uma rajada de ar frio as açoitou e a Rainha apertou mais Branca de Neve contra si. A Rainha remou o barco para uma área densamente coberta por grama do pântano, e as duas se sentaram tremendo entre as plantas enquanto o céu se iluminava de laranja e vermelho em volta delas. Tanto a Rainha como a criança se sobressaltavam cada vez que uma explosão ressoava.

– Mamãe, o papai vai ficar bem? – perguntou Branca, com os dentes batendo.

– Ele sempre fica bem, não é?

Mas a própria Rainha não tinha tanta certeza do que poderia acontecer naquela noite.

As explosões logo diminuíram, e as terras ao redor do castelo ficaram silenciosas. A Rainha envolveu sua capa em torno de si e da criança para que se aquecessem. Branca de Neve adormeceu, e a Rainha ficou acordada a noite toda, de guarda. E, então, ela sentiu uma mão em seu ombro.

O Rei.

– Venham, meus amores – disse ele, e remaram pelo pântano gelado, retornando ao castelo.

Os salões pareciam em ruínas, mas o castelo havia resistido bem. O Rei disse à Rainha que eles haviam expulsado os invasores.

– Será que retornarão? – ela perguntou.

– Não – respondeu o Rei, confiante.

– Vossa Majestade! – gritou uma voz do outro lado do salão.

– Verona! – respondeu a Rainha, e as duas mulheres correram uma para outra e se abraçaram.

– Estou tão feliz por vê-la bem – disse Verona.

– Eu também estou feliz por você – a Rainha respondeu.

– Não sofremos baixas. Nenhuma. Seu marido é um rei e guerreiro valoroso.

O Rei baixou o olhar para o chão.

– Venha, vamos para os nossos aposentos para você descansar – disse o Rei. – Verona, por favor, leve Branca de Neve para o quarto e fique com ela lá.

– Sim, Majestade – acatou Verona.

A Rainha e o Rei dirigiram-se para os seus aposentos. A Rainha não conseguia suportar o cheiro de madeira queimada e enxofre que tomaram o castelo. Mas, assim que ela voltou para o quarto, o vento fresco que entrava pelas janelas ajudava a dispersar o fedor.

E, então, ela percebeu algo muito mais terrível do que qualquer coisa que havia acontecido na noite anterior.

Repousando na cornija da lareira estava o espelho que ela tinha quebrado, agora totalmente reparado e intacto. Mas como era possível? Ela não conseguia afastar os olhos dele. Perdera completamente o chão, tonta de confusão e terror.

– Verona escreveu para me informar sobre o espelho quebrado. Eu fiquei profundamente entristecido e, então, incumbi aos melhores artesãos do reino a tarefa de repará-lo. É claro que até mesmo as habilidades deles não são páreo para o seu pai. Eu queria surpreendê-la com a origem do presente no dia do nosso casamento, querido amor. Pensei que você gostaria de algo para lembrá-la de seu pai. É uma obra dele; certamente, a esta altura, você já deve ter reconhecido isso.

A Rainha lutava para recobrar a voz, para torná-la agradável e não carregada do terror que se apoderara dela.

– Obrigada, meu querido. Você é muito atencioso. – Ela beijou o marido e se esforçou para afastar todo o medo em seu coração. – Estou tão feliz por você estar em casa, meu amor!

O Rei baixou os olhos.

– Você está partindo novamente, não é?

Ele assentiu.

– Você não pode fazer isso! Não tão cedo!

– Você viu o que aconteceu ontem à noite! Os reinos invasores podem nos derrubar a qualquer momento se não os expulsarmos. Eu prefiro combatê-los longe daqui, onde eles não podem feri-la. Devo manter você e Branca – todos nós – seguros.

– Mantenha-nos seguras *aqui*! – gritou a Rainha.

– Meus homens farão isso – respondeu o Rei.

– Você ficou longe por tanto tempo que temo estar perdendo a cabeça!

A cena era de partir o coração, e o Rei estava visivelmente abalado.

– Não, meu amor, você está apenas cansada e exaurida.

A Rainha queria muito compartilhar com o marido o que tinha visto no espelho… Mas ele poderia pensar que ela estava louca, ou pior, possuída por espíritos malignos. Mesmo assim, parecia ser a única opção se ela quisesse convencê-lo a permanecer no castelo.

– Eu vi o rosto de um homem nesse espelho que você me deu, meu amor. Ele falou comigo!

– Oh, minha querida – disse o Rei, parecendo preocupado com a sua sanidade.

– Não olhe para mim desse jeito! Se você não ficasse tanto tempo longe, eu não estaria sendo atormentada por tais visões – acusou ela, paralisada pelo pânico.

– Você não está ficando louca, meu amor. Está simplesmente esgotada. Você é a mulher mais forte que eu conheço, mas até mesmo você tem os seus limites. Quero que descanse amanhã. Vou passar o dia com Branca e, então, você e eu teremos a noite só para nós dois.

– Desculpe-me, meu amor. Eu não deveria ter culpado você. Por favor, esqueça isto, meu querido. Eu lhe prometo que tudo ficará bem – disse a Rainha.

O Rei abraçou fortemente a Rainha e ela desatou a chorar em seus braços. Ali, sentia-se confortada, e imaginou se era assim que uma criança devia se sentir sendo protegida por seu pai. Então, a magnífica Rainha adormeceu nos braços do Rei, soluçando.

CAPÍTULO V

UM EFEITO DE LUZ

Nos dias subsequentes à partida do Rei, a Rainha começou a se sentir mais solitária do que jamais se sentira desde que chegara ao castelo. Ela não podia compartilhar seus terríveis pesadelos com ninguém. Já havia sido difícil o bastante revelar ao Rei a sua visão. Se fosse comentá-la com alguém em quem confiasse menos, tinha certeza de que iriam acusá-la de bruxaria, e a queimariam na fogueira.

Isso tornava o fato de ela ser atormentada por imagens do rosto do homem ainda mais terrível. Ela pensou em mandar retirar o espelho do quarto, mas isso pareceria por demais suspeito. Tinha certeza de que o Rei não atribuíra muita importância à sua visão, considerando-a meramente o produto de uma mente exausta. Mas ela também sabia que outras pessoas no castelo – incluindo Verona – estavam cientes de que o espelho era um presente de amor do Rei. Como ela explicaria a reprovação de tal presente?

Ela decidiu cobri-lo com grossas cortinas de veludo, esperando que, ao mantê-lo fora de sua vista, também o manteria longe de sua mente, e o impediria de afetá-la. Quando Verona perguntou-lhe a razão disso, a Rainha explicou que esperava que as cortinas preservassem o espelho, protegendo-o contra as intempéries. Uma mentira razoável, que Verona aceitou sem maiores questionamentos.

Ainda assim, a Rainha era atormentada por pesadelos com o homem que ela vira no espelho. Nos sonhos, ele o quebrava de dentro com os próprios punhos, e o vidro se estilhaçava, voando em todas as direções. A Rainha enterrava o rosto na dobra do braço enquanto o vidro a cortava. Seu sangue escorria pelo chão, misturando-se com os cacos de vidro irregulares. Às vezes, nesses terrores noturnos, o homem rastejava para fora do espelho, contorcendo grotescamente seu corpo, caía no chão e, em seguida, agarrava um caco grande do espelho partido, apertando-o com tanta força que cortava a própria mão enquanto perseguia a Rainha por um despenhadeiro rochoso.

Ela acordava toda noite suando frio, o coração disparado, muitas vezes com o som de seu próprio grito. Algumas noites ela despertava em agonia, convencida de que seus pés estavam sangrando por descerem escadas cujos degraus estavam cobertos por pedaços do espelho partido, cada caco refletindo uma imagem horrível da Rainha, não com a sua bela aparência, mas velha, macilenta e coberta de verrugas.

Ela começou a se perguntar se demônios haviam invadido sua alma. Consumida pela ansiedade por causa do espelho e pela profunda tristeza de não ter o marido ao seu lado, ela começou a sentir medo de sair de seu quarto. Todas as manhãs, Verona chegava com água de rosas frescas na esperança de que ela pudesse convencer a Rainha a despir-se de sua camisola.

– Eu garanto que você se sentirá muito melhor se vestir-se para o dia, minha Rainha. Não é saudável ficar trancada em casa por tanto tempo. Você parece abatida e já faz semanas que não se alimenta corretamente. Eu gostaria que você me dissesse o que a está incomodando.

As palavras de Verona mexeram com a Rainha. Ela encarou a dama de companhia com um olhar vazio.

– Não posso, Verona. Você acharia que estou louca.

– Eu não ousaria fazê-lo.

A Rainha queria desesperadamente compartilhar suas visões com alguém. E depois do Rei, de todas as pessoas no reino, Verona era a pessoa em quem mais confiava. Ela decidiu que não conseguiria mais seguir em frente se não desabafasse sobre a visão no espelho. Se Verona traísse sua confiança, a Rainha poderia simplesmente negar a história. Afinal, em quem seu reino iria acreditar... em sua Rainha ou em uma serviçal?

– Pouco antes de o Rei retornar eu vi o rosto de um homem no meu espelho. Ele falou comigo.

– O que ele disse?

A Rainha ficou tão surpresa pela reação calma de Verona que não podia sequer recordar agora o que o homem havia dito.

– Você o viu desde então? – perguntou Verona.

A Rainha fez que não com a cabeça.

Verona caminhou até o espelho e abriu as cortinas. Os olhos da Rainha se arregalaram de terror, mas Verona lançou-lhe um olhar tranquilizador. Ela revelou o espelho. Não havia nada nele, exceto o reflexo do quarto.

– Veja, minha Rainha, você não tem nada com que se preocupar. Pode ter sido qualquer coisa, um efeito de luz, cansaço; há tantas explicações.

A Rainha não sabia se deveria encontrar conforto nas palavras de Verona ou ficar ainda mais receosa. Agora, eram duas pessoas, o Rei e Verona, a desprezar sua visão como uma mera ameaça imaginária. Isso não reforçaria a ideia de que estaria enlouquecendo?

– Você, minha Rainha, é a mulher mais corajosa que conheço – prosseguiu Verona. – Agora, por favor, saia da cama e vá lá fora tomar um pouco de sol com a sua filha. Ela está assustada com a ausência do pai. Você deve pensar nela.

Verona estava certa, é claro. Branca precisava de atenção.

– Não acho que precisamos contar a Branca sobre isso, Verona.

– Claro que não, minha Rainha. Manterei isso entre nós. Mas me faça uma promessa: da próxima vez que algo a estiver preocupando demasiadamente, por favor, fale comigo. Espero que você pense em mim como sua amiga.

– Como minha *irmã*, doce Verona.

A Rainha levantou-se da cama, e enquanto o fazia, teve um vislumbre de si mesma no maldito espelho – cansada e abatida. Verona também estava visível no espelho, bela e serena como sempre.

Capítulo VI

As irmãs esquisitas

Naquela mesma manhã, um mensageiro trouxe o aviso de que três primas distantes do Rei chegariam na manhã seguinte. A Rainha, que normalmente era equilibrada, estava irritada devido ao prazo excessivamente curto. Por que se deram ao trabalho de enviar um mensageiro? Ainda assim, o Rei valorizava a família acima de tudo e deixara claro que seus parentes eram sempre bem-vindos no palácio. A carta, desarticulada, ainda que lírica, fora escrita a três mãos e assinada por três mulheres: Lucinda, Ruby e Martha.

Embora elas tivessem comparecido ao casamento, a Rainha se esquivara de seus olhares, que a deixavam desconfortável, e dera um jeito de não conversar com elas. Naquela situação, no entanto, não seria possível evitar as irmãs. Será que elas iriam se mostrar tão intrigantes pessoalmente como a carta delas sugeria que fossem?

As trigêmeas indistinguíveis desceram de uma carruagem negra puxada por cavalos. Seus rostos compridos estavam maquiados com um branco cadavérico, suas bochechas coradas por um tom de rosa bem vivo, e o centro de seus lábios, pintados de um vermelho intenso, que lhes davam a aparência de um lacinho. Pareciam bonecas quebradas que um dia haviam sido amadas, mas há muito foram esquecidas. Seus cabelos eram de um preto brilhoso com mechas brancas, e adornados com penas vermelhas. Pareciam pertencer a uma fauna para lá de exótica, e completavam essa impressão caminhando de um jeito que lembrava aves ciscando.

Seus vestidos eram cor de berinjela, furta-cor, transmutando-se do preto a um roxo-escuro, dependendo da incidência da luz. Eram firmemente cingidos no busto e cintura, mas excessivamente volumosos nas saias, criando um efeito de sino. Suas pequenas e pontiagudas botas pretas projetavam se para fora da base de seus vestidos como criaturas sorrateiras procurando suas presas. As três postaram-se lado a lado, de braços dados, olhando para a Rainha exatamente da forma como ela se lembrava do dia de seu casamento, quando foi brevemente apresentada a elas.

Com suas expressões indecifráveis, eles não pareciam nem contentes nem insatisfeitas.

– Sejam bem-vindas, primas. Como foi a viagem? Atrevo-me a dizer que vocês devem estar exaustas depois de tantos dias de estrada.

Martha falou primeiro:

– Estamos bem...

Ruby assumiu:

— Descansadas, prima...

E Lucinda concluiu:

— Obrigada.

Verona falou:

— Devo lhes mostrar os seus quartos, então, e enviar uma criada para ajudá-las a desfazer as malas? Estou certa de que vocês estão ansiosas para se refrescar após sua longa viagem.

Apenas Lucinda respondeu:

— De fato.

As esquisitas irmãs foram ciscando atrás de Verona, seus pés minúsculos estalando sobre o chão de pedra enquanto tagarelavam entre si.

— Não consigo imaginar isso — disse uma delas.

— É incompreensível, de fato — falou outra.

— Inconcebível!

Verona só conseguiu ouvir pequenos trechos da conversa e perguntou-se sobre o que elas poderiam estar discutindo. Ela resistiu ao impulso de olhar para trás, para elas, enquanto imaginava as expressões em seus rostos — caretas de desgosto, como se tivessem sentido o cheiro de algo podre. Verona sorriu frouxamente; a ideia de o castelo estar sendo habitado por essas mulheres peculiares a divertia e a perturbava ao mesmo tempo.

— Aqui estamos, Lucinda, estes são os seus aposentos. Ruby e Martha, tenho quartos para vocês seguindo o outro corredor — disse Verona.

Lucinda disse simplesmente:

— Isso é…

Ruby continuou:

— Simplesmente…

— Inaceitável — concluiu Martha —, para dizer o mínimo.

— Perdão, como é? — foi tudo que Verona pôde balbuciar.

As três irmãs olharam friamente para Verona.

— Há algo errado com o seu quarto, Lucinda? — perguntou Verona.

Elas responderam como se fossem uma só:

— Preferimos dormir juntas.

— Entendo, é claro. Vou providenciar para que preparem um dos maiores aposentos, então. Nesse meio-tempo, vocês gostariam de tomar chá na saleta íntima?

Lucinda disse:

— Seria…

Ruby concluiu:

— Adorável — E Martha agradeceu Verona enquanto ela as conduzia para a saleta íntima. O cômodo estava inundado pela claridade que entrava pelos enormes janelões, e o chá estava servido na mesa central, onde Branca aguardava pacientemente para conhecer suas primas.

Verona fez um sinal para a criada reorganizar as cadeiras, de modo que as irmãs pudessem se sentar juntas, de frente para Branca. Elas aprovaram a medida assentindo com a cabeça para Verona, enquanto tomavam seus assentos. A cena toda parecia uma "brincadeira de casinha" macabra na qual um belo querubim

– a anfitriã – servia o chá para enormes bonecas vestidas com funestos trajes de velório – suas convidadas.

– Se você puder servi-las, Branca, eu lhe agradeço, pois tenho que providenciar um novo quarto para suas primas – disse Verona.

Branca abriu um sorriso. Ela adorou a ideia de bancar uma de dama adulta.

– E, senhoras, poderiam me dar licença? Preciso me ausentar por um momento – disse Verona, fazendo uma ligeira reverência e, em seguida, deixando a saleta.

Assim que Verona se retirou, as três irmãs pousaram as mãos sobre a mesa, segurando umas às outras, e olharam para Branca com expectativa.

Branca serviu o chá para suas primas, contente por tê-lo conseguido fazer sem derramar uma única gota.

– Vocês gostariam de creme e açúcar? – perguntou Branca.

– Sim, por favor – as irmãs responderam em harmonia.

– Então, diga-nos, Branca…

– Você gosta…

– Da sua nova mãe? – elas perguntaram.

– Eu gosto muito dela – Branca respondeu.

– Ela nunca foi…

– Cruel com você?

– Ela não a trancafia…

– Para proteger-se de sua beleza?

Branca estava confusa.

– Não. Por que ela faria isso?

As irmãs se entreolharam e sorriram.

– De fato, por quê? – responderam em uníssono e, em seguida, soltaram uma gargalhada. – Ela não é a madrasta...

– Dos contos de fadas, então?

– Que adorável.

– Embora um pouco entediante...

– Se me permite dizer.

– Nós esperávamos...

– Um pouco de emoção, de intriga.

– Vamos criar a nossa própria, então! – disseram juntas. – Sim, vamos criar a nossa própria. – E elas riram de forma descontrolada, estridente e perversa.

Branca riu nervosamente também. As três irmãs contiveram suas risadas e concentraram seus olhares duros outra vez em Branca. Elas poderiam muito bem ser estátuas abandonadas no vento e na chuva durante décadas, tendo as intempéries e a passagem do tempo provocado rachaduras em seus rostos. Branca não podia deixar de sentir um pouco de medo delas.

– Eu a esconderia – disse Ruby.

– Eu também – emendou Lucinda.

– Eu não faria isso. Eu a cortaria em pedacinhos e a transformaria em uma poção.

– Oh, sim, e todas nós a beberíamos...

– De fato. Ela nos deixaria belas e jovens novamente.

– Nós precisamos da pena de...

– Um corvo e do coração de uma pomba...

– É claro, e não se esqueça...

E todas elas disseram:

– De uma mecha do cabelo de sua falecida mãe.

Branca agarrou os braços da cadeira, apavorada. Seus olhos se arregalaram e os lábios começaram a tremer. Ela se levantou e afastou-se das irmãs o máximo que pôde. E, então, para seu grande alívio, Verona retornou à saleta íntima.

– Senhoras, o seu quarto está pronto. Posso mostrá-lo a vocês agora, a menos que ainda estejam desfrutando do chá com bolos.

As três irmãs levantaram-se como se tivessem um só corpo, fizeram uma reverência a Branca e seguiram Verona até o aposento que lhes fora preparado, onde os seus baús já aguardavam por elas.

As irmãs examinaram o quarto.

– Até que está bom.

– Sim, este servirá.

– Nós vamos desfazer nossas malas sozinhas. Você pode sair.

Elas riram quando Branca passou correndo pelo corredor diante da porta do quarto delas, com as mãozinhas cobrindo o rosto. Verona vislumbrou Branca e imediatamente pediu licença para ir atrás da menina, mas, mesmo assim, conseguiu captar um trecho da conversa das irmãs enquanto partia.

Lucinda disse:

– Vocês acham que devemos levar...

– Branca...

– Para a floresta? Sim. – As irmãs se entreolharam com sorrisos malignos e riram estridentemente mais uma vez.

Branca estava em pânico e não falava coisa com coisa quando tentou contar para sua mãe e para Verona o que tinha acontecido durante o chá.

— Oh, eu acho que elas estavam apenas brincando com você, querida. Elas são bastante excêntricas — tentou acalmá-la a Rainha.

— Com um senso de humor muito estranho e negativo, se quer saber a minha opinião, minha Rainha, com essa conversa de poções... — disse Verona, parecendo francamente horrorizada. — Branca, elas realmente disseram que iriam cortá-la em pedaços?

Branca fez que sim com a cabeça, franzindo a testa terrivelmente.

— Bem, eu não acho que elas estivessem falando sério. Não pode ser. Talvez Branca deva fazer sua refeição com você hoje à noite, Verona, para que eu possa jantar com essas interessantes senhoras reservadamente e avaliar por mim mesma sua verdadeira índole.

E ela olhou para Branca:

— Eu vou dizer a elas, minha querida, para não a provocarem de forma tão cruel; não permitirei isso. Não se preocupe, meu passarinho.

Branca pareceu aliviada.

Verona pediu para ter uma palavrinha a sós com a Rainha, que consentiu.

— Branca pode ser uma criança assustada, minha Rainha, mas eu também ouvi as irmãs conversando enquanto deixava o quarto delas. Estavam falando em levar Branca para a floresta. Considerando o que Branca já nos contou sobre elas, penso que deveríamos manter estreita vigilância sobre as irmãs, pois eu não confio nelas.

A Rainha suspirou profundamente.

– Obrigada, Verona. Aprecio a sua lealdade e o amor que você tem pela minha filha.

Naquela noite, no salão menor, a Rainha havia organizado um esplêndido jantar para ela e as irmãs enquanto Branca fazia sua refeição com Verona. As mulheres comiam com moderação, beliscando a comida, como pássaros. Elas não disseram nada durante a maior parte da noite, até que Ruby quebrou o silêncio.

– Receio que tenhamos assustado Branca com nossas brincadeiras.

Martha continuou:

– Às vezes, nós nos empolgamos e passamos dos limites.

E Lucinda disse:

– Oh, sim, não foi por mal, viu?

E, então, elas disseram juntas:

– Nós amamos o nosso primo.

Lucinda continuou:

– Veja você, passamos a maior parte do nosso tempo sozinhas. Só temos a nós mesmas como companhia. E nos divertimos contando histórias umas para as outras.

Ruby continuou:

– Oh, sim, e nos deixamos levar pela empolgação, às vezes.

Então, Martha disse:

— Lamentamos muito.

A Rainha sorriu.

— Foi o que pensei. Fico muito feliz por ouvir isso. A ideia de ter de repreender três parentes do Rei me entristecia. Agora, parece haver pouca necessidade disso, a não ser para aconselhá-las a tomarem cuidado com os seus estranhos contos e histórias, e não contá-los diante de minha filha. Mas, mudando de assunto, digam-me, senhoras, que tipo de diversão lhes agradaria, enquanto estiverem aqui?

As três responderam como uma só:

— Um piquenique com Branca de Neve.

A Rainha riu.

— Talvez vocês estejam querendo dizer um piquenique *na* neve. Estamos quase no inverno!

— Sim, mas não há época melhor...

— Para visitar a floresta...

— Do que quando as folhas das árvores estão morrendo...

— E revelando todo o seu magnífico colorido!

— E se o que a preocupa é o frio...

— Podemos ir para o Bosque das Maçãs.

Um piquenique... Então, deve ter sido isso que Verona entreouviu as irmãs planejando, quando falavam em levar a menina para a floresta.

— Que ideia maravilhosa — disse a Rainha —, e pode ser facilmente arranjada. Acho que ela adoraria fazer um passeio; e que um belo dia será. Devemos fazer da ocasião um grande evento e nos vestirmos de acordo; ela vai se sentir como uma pequena dama.

Lucinda pareceu desapontada com alguma coisa, mas antes que a Rainha pudesse perguntar o que era, foi distraída por um dos criados, que entrou na sala trazendo uma mensagem numa pequena bandeja de estanho.

– Com licença, minhas caras – desculpou-se a Rainha pela interrupção, enquanto rompia o lacre de cera da carta. Seus olhos se arregalaram, o rosto se iluminou e, então, ela explodiu de alegria:

– Oh! Que notícia maravilhosa! Estou muito contente.

Ela virou-se para as irmãs.

– O Rei vai estar em casa em duas semanas!

As três irmãs sorriram e disseram:

– A tempo para o solstício de inverno.

A Rainha ficou intrigada.

– Como é? – ela perguntou.

– Presumimos que você manteria as tradições aqui em seu novo lar – disse Lucinda.

Ruby continuou:

– Ouvimos belos relatos sobre como a sua família costumava fazer um belo espetáculo nessa data comemorativa.

A Rainha ficou surpresa que as irmãs esquisitas pudessem ter ouvido tais relatos sobre a sua família. Mas ela não tinha tempo nem cabeça para dar atenção àquilo. O Rei estava retornando!

– Eu não tinha pensado em comemorar dessa forma – confessou ela. – No entanto, acho que, uma vez que o Rei está voltando a tempo, *devemos* celebrar a data. Gosto bastante da ideia.

Seria um maravilhoso regresso ao lar, e ele ficaria tão contente de ter suas queridas primas aqui... Digam que ficarão para os festejos!

As três irmãs esquisitas responderam em conjunto, abrindo sorrisos largos e sinistros:

— Claro que vamos, querida.

Capítulo VII

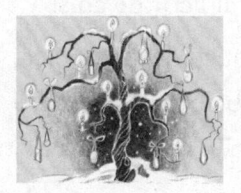

Espelhos e luz

O castelo todo estava em polvorosa com os preparativos para o solstício de inverno. Os criados estavam se desdobrando para tudo sair perfeito no regresso do Rei, e a Rainha estava supervisionando pessoalmente cada detalhe.

– Acho que devemos preparar o prato favorito do Rei, é claro, e também algo um pouco mais delicado para as damas; faisão, creio eu, ao molho de cogumelos e vinho. Seria maravilhoso, não concorda? Esplêndido! Umas batatas-doces assadas com alecrim… E acho que o Rei viria pessoalmente à cozinha cumprimentá-lo se você lhe preparar suas peras com calda de conhaque.

O cozinheiro sorriu enquanto a Rainha continuava:

– E se você puder providenciar um bolo de seis camadas de chocolate, avelã e *cream cheese*; um pouco gorduroso e pesado, mas podemos servir um licor digestivo depois, que tal licor de anis?

Verona entrou no aposento parecendo um pouco descomposta, com mechas soltas desprendendo-se do seu cabelo preso no alto da cabeça, e o rosto manchado de cinzas de carvão, ao que parecia.

– Sinto muito interrompê-la, minha Rainha, mas eu gostaria de falar sobre as ornamentações. Você tem alguma coisa especial em mente?

A Rainha ergueu os olhos da lista que estava repassando com o cozinheiro e sorriu para Verona.

– Na verdade, sim. Tenho muitos baús em meus aposentos particulares repletos com ornamentações que meu pai confeccionou para a minha mãe muitos anos antes de eu nascer.

Verona pareceu aliviada.

– Que adorável, minha Rainha. Você gostaria que eu começasse a desembrulhá-los?

A Rainha pensou a respeito por alguns instantes e disse:

– Eu adoraria sua ajuda, Verona, junto a algumas de nossas criadas mais habilidosas. Os espelhos terão de ser limpos antes de serem pendurados, é claro, mas eu preferiria desembrulhá-los eu mesma, se você não se importar.

– Compreendo perfeitamente, minha Rainha.

Então, a Rainha olhou para o cozinheiro e disse:

– Se me der licença, vou deixá-lo com o menu que eu preparei. Se tiver alguma dúvida, podemos discutir isso mais tarde à noite.

– Claro, minha Rainha – ele respondeu.

E, dito isso, a Rainha seguiu Verona até os seus aposentos particulares. Ninguém mais no castelo tinha a chave para aquele quarto senão ela própria e Verona. Enquanto a Rainha retirava a chave do estreito cinto debaixo da dobra de sua blusa, sentia uma pontinha de nervosismo. Ela enfiou a chave na fechadura, girou-a e lentamente abriu a porta.

Pavor.

O quarto continha todos os pertences de seus pais: o último dos espelhos fabricados pelo artesão, o retrato de sua mãe e também as ornamentações que estavam cuidadosamente embaladas em caixotes, provavelmente pelas mãos de sua própria mãe no ano anterior ao nascimento da Rainha. O Rei ordenara que os itens fossem transportados para o castelo quando ele e a Rainha se casaram.

Ela nunca havia encontrado uma razão para visitar aquele quarto e, verdade seja dita, tinha mesmo procurado evitá-lo. Estava repleto de fragmentos de sua antiga vida. E, agora, era como se estivesse entrando em uma cripta escura e fria. Ela reparou que Verona também tremia.

A Rainha abriu o baú, e uma onda de lembranças a inundou. Ele tinha o cheiro da casa de seu pai. É estranho como um cheiro pode trazer à tona memórias tão vívidas, praticamente transportando você de volta no tempo – o cheiro da loja, o odor de mofo e bolor de sua antiga casa.

Ela afastou tais pensamentos de sua mente enquanto desembrulhava os pequenos espelhos, percebendo um rosto que se parecia muito com o de sua mãe refletido neles.

Verona notou o desconforto da Rainha e decidiu aliviar a tensão conversando sobre amenidades.

– Você se parece tanto com a sua mãe que eu quase pensei que fosse um retrato seu.

– O Rei disse o mesmo quando entrou pela primeira vez na loja do meu pai, anos atrás. Eu não percebia isso na época, mas agora sim. Eu quase pensei que era ela que estava olhando para mim desses espelhos.

Verona sorriu. Ela pensou consigo mesma como Branca tinha sorte por ter a Rainha como sua madrasta. E a celebração do inverno deixaria a menina tão feliz! Se ao menos aquelas irmãs horríveis não tivessem decidido ficar para o solstício... Verona sentia-se desconfortável na presença delas e se perguntava como era possível que a Rainha não se sentisse da mesma forma. Por que as convidara para ficar para a festa? Verona tinha pavor do som do farfalhar de suas saias e suas vozes tagarelas aproximando-se pelo corredor de manhã. Suas irritantes gargalhadas estridentes, os sussurros e sorrisinhos afetados e o hábito de terminar os pensamentos e frases umas das outras eram mais do que Verona podia suportar.

Ela quase desejou que as irmãs passassem dos limites de alguma forma, que fizessem algo que pudesse justificar o pedido da Rainha para que partissem. Ninguém conseguia fazer outra coisa senão concentrar toda a atenção nelas quando estavam no mesmo aposento; elas eram assim – morbidamente atraentes. Verona muitas vezes encontrou-se olhando para elas com fascínio, curiosidade e repulsa, esperando que seu rosto não a traísse quando as irmãs a pegavam olhando-as pasma de repugnância.

Branca entrou no quarto, interrompendo os pensamentos de Verona.

– Lucinda diz que vamos colocar velas e espelhos nas árvores como a vovó costumava fazer na véspera do solstício, mamãe. Isso é verdade?

– É verdade, meu passarinho – respondeu a Rainha. – Você pode me ajudar, se quiser.

Branca sorriu e disse:

– Eu adoraria, mamãe. Deixe-me dizer às minhas primas que não poderei tomar chá com elas e eu volto já.

A Rainha percebeu que Verona parecia agitada com alguma coisa enquanto assistia à menina ir embora correndo.

– O que foi, Verona?

Verona fez uma careta de dúvida, repuxando os lábios para os lados, como se estivesse buscando pelas palavras certas.

– Fale francamente, por favor, minha amiga. Não se censure por minha causa.

– Bem, minha Rainha, essas irmãs são bastante... bem, peculiares.

A Rainha assentiu.

– Eu odeio ser insensível, mas o que há de errado com essas mulheres? Elas me parecem bastante perturbadas.

A Rainha mal pôde abafar o riso quando disse:

– Eu acho que elas devem ter tido uma criação muito protegida, o que as deixou esquisitas dessa forma.

Verona riu.

— Muito protegida, de fato! Talvez em um porão úmido?

A Rainha riu abertamente.

— A aparência delas... é como se nunca tivessem visto a luz do dia.

A Rainha nunca vira Verona falar mal de quem quer que fosse, e ela a amava ainda mais por estar sendo tão franca agora.

— Por que elas pintam os rostos tão branco? É tétrico. Parecem bonecas bizarras trazidas à vida por um alquimista maluco!

A Rainha riu novamente.

— Pare com isso agora, Verona. Você não vai querer que Branca a ouça, ela deve estar de volta a qualquer momento.

As duas mulheres riram como duas crianças, enquanto a Rainha desembrulhava as ornamentações do solstício; os espelhos refletiam em seus rostos alegres a luz proveniente das janelas em arco.

As semanas se passaram rapidamente e logo a véspera do solstício de inverno havia chegado. A neve cobria o solo e o castelo todo estava iluminado pela luz das velas. A Rainha imaginou como isso pareceria adorável ao Rei quando ele estivesse a caminho do lar. Devia estar parecendo um castelo mágico de um conto de fadas — um sonho luminescente flutuando num mar de escuridão. Cada uma das árvores estava repleta de velas, que por sua vez eram refletidas nos minúsculos espelhos pendurados nos galhos, espalhando a luz de forma esplendorosa, mergulhando o castelo e seu entorno numa atmosfera de fantasia.

Branca de Neve estava encantada. Era a primeira vez que a menina parecia estar completamente à vontade desde que aquelas irmãs esquisitas haviam chegado à corte. A Rainha se perguntou onde estavam as primas do Rei; elas haviam esperado uma quinzena por aquela noite, e agora tinham simplesmente desaparecido.

— Branca, você sabe onde estão as suas primas? — perguntou a Rainha.

Branca lançou à mãe um olhar de desânimo.

— Desculpe, mamãe, mas eu não quero estragar a nossa festa.

— Acho que é melhor você me dizer, passarinho — insistiu a Rainha, falando com Branca mais severamente do que jamais fizera.

— Eu não sei bem onde elas estão. Estavam agindo de forma tão estranha quando fomos passear hoje, mamãe, dizendo aquelas coisas assustadoras de novo... Elas correram atrás de mim, gritando coisas terríveis sobre minha primeira mãe e sobre você também... Então, elas começaram a falar sobre frutas enfeitiçadas... maçãs que poderiam fazer uma menininha dormir para sempre... peras que fazem uma pessoa definhar e morrer... Depois, disseram que iam me cortar em pedacinhos e me cozinhar em seu ensopado...!

Os lábios de Branca começaram a tremer, e então ela começou a chorar. Ela desabou sobre o peito de sua madrasta, soluçando.

— Eu apenas corri e corri até não conseguir mais ouvi-las, mas eu continuei correndo, e quando finalmente olhei para trás elas não estavam mais lá. Eu não contei porque estava com medo de estragar o seu dia.

A Rainha apertou Branca em seus braços com força e a acalentou.

– Não se preocupe, minha querida. Vou pedir a alguém que as encontre e as expulse do castelo. Acho que devemos esperar até depois da celebração para contar ao seu pai, não? – A Rainha acenou para Verona, chamando-a. – Verona, querida, peça aos criados para procurarem as irmãs no castelo. Se elas não forem encontradas, então peça ao Caçador que reúna alguns de seus homens e entrem na floresta para ver se conseguem localizá-las. Quero que elas sejam trazidas à minha presença imediatamente. Um dos homens deve ficar de guarda caso elas voltem para cá.

– Sim, minha Rainha – disse Verona, e apressou-se em direção ao castelo.

A Rainha voltou sua atenção novamente para Branca de Neve.

– Sinto muito. Eu jamais deveria ter deixado você sozinha com essas mulheres más. Pode me perdoar?

– Oh, mamãe, essas irmãs são tão traiçoeiras. Não foi culpa sua.

– Falaremos mais sobre esse assunto amanhã, passarinho, mas vamos tentar tirar isso das nossas cabeças por enquanto. Veja! Posso ver a comitiva de seu pai surgindo no horizonte. Eu quero que ele tenha um regresso ao lar maravilhoso, minha querida. Só vou dizer uma última coisa até que possamos conversar sobre isso amanhã: prometa para mim, Branca, que se uma coisa como essa acontecer novamente, você virá correndo me contar!

Você entendeu? Eu preciso ter certeza de que você sempre recorrerá a mim, especialmente se alguém estiver tentando fazer-lhe mal. Estou aqui para protegê-la, meu amor; não importa a situação, você tem que confiar que sempre pode recorrer a mim.

— Pode deixar, mamãe, eu prometo.

A Rainha beijou a bochecha da filha. Ela estava irritada com as irmãs por arruinar aquele dia, mas, por algum motivo, não conseguia reunir a raiva que tanto desejava. Talvez fosse pela alegria da celebração. O pai da Rainha havia deixado de comemorar o solstício depois que a mãe falecera. Como não teria sido maravilhoso participar de uma comemoração daquelas quando era pequena. Parte dela invejava Branca, na verdade.

— Olhe, meu querido passarinho, veja como o castelo está deslumbrante. Seu pai vai ficar tão contente! – disse a Rainha, na tentativa de distrair a menina de suas primas perversas.

Branca olhou em direção ao castelo. Fantasmagóricos feixes de luz flutuavam através de suas muitas janelas. Branca ficou boquiaberta.

— Como o castelo está fazendo isso, mamãe? – a criança perguntou.

— Com um espelho muito especial – a Rainha respondeu. – Meu pai o construiu com pedaços de espelhos chanfrados. É um cilindro contendo uma vela, que projeta as formas nas paredes.

— Oh, eu posso ir até o salão de baile ver isso? – disse a criança, animada.

– Claro, passarinho, você pode dar uma espiadinha por um momento antes de irmos para o jantar no salão principal, mas seja rápida.

– Vou ser, mamãe, prometo. Oh, veja, mamãe, veja! Papai está aqui!

A Rainha e Branca sorriram com prazer ao avistarem o Rei chegar. Seus olhos se encheram de lágrimas quando ele desmontou do cavalo e abraçou as duas, beijando primeiro a esposa e, em seguida, pegando Branca no colo, erguendo a menina no ar e beijando cada uma de suas bochechinhas rechonchudas.

– Oh, eu senti tanta falta de vocês duas! – disse o Rei. Novamente, ele parecia diferente. Cada vez que voltava do campo de batalha, vinha um pouco menos como costumava ser... e, ao mesmo tempo, mais essencialmente ele próprio. A experiência tanto parecia atormentar-lhe a alma como enriquecer sua compreensão dos males do mundo.

A família adentrou o castelo de mãos dadas e encaminhou-se para o salão principal, que ficava ao lado do salão de baile. Branca, lembrando-se de que a mãe havia lhe concedido permissão para espiá-lo rapidamente, soltou-se da mão de seu pai e entrou no que parecia ser um outro mundo. Ela postou-se no centro da sala, perto da mesa de pedra sobre a qual o cilindro espelhado fora posicionado. Tilley, uma das damas da corte favoritas de Branca, estava de pé ao lado do cilindro e o girava quando ele começava a perder o ímpeto de rotação.

– Bonito, não é? – perguntou Tilley.

– É! – concordou Branca, cativada pelas imagens de sóis, luas e estrelas que deslizavam pelas paredes do salão de baile.

Ela imaginou como todas as damas pareceriam maravilhosas em seus vestidos mais tarde, naquela noite, girando em círculos ao som da música e sob a iluminação.

Então, de repente, as portas do salão de baile se abriram e o Rei entrou. Ele parecia furioso. Branca nunca o tinha visto sequer um pouco irritado, que dirá naquele estado.

– Branca! O que significa isso? – bradou ele.

– Mamãe disse que eu podia ver o salão de baile antes da festa... – Branca balbuciou, seus olhos tristes implorando compreensão ao pai.

Mas a fúria dele não arrefeceu.

– Nunca suspeitei que você fosse capaz de tamanha crueldade, Branca!

Então, olhando através da grande porta em arco, Branca viu-as chegando: Lucinda, Martha e Ruby, com os vestidos cobertos de lama, esfarrapados e rasgados, e os cabelos num desalinho assustador, cheios de pequenos pedaços de galhos e folhas. Havia porções de pele rosada à mostra nos pontos em que a maquiagem branca havia sido raspada de seus rostos, às vezes até a carne. E Martha tinha perdido uma de suas lustrosas botas pretas, revelando uma meia listrada de verde e prateado que tinha um grande buraco no dedão, que ela tentava desesperadamente esconder com o outro pé.

– Não posso acreditar que você tenha sido capaz de fazer uma coisa dessas! – disse o Rei.

Martha engasgava com soluços profundos enquanto falava:

– Ela é uma menina horrível e malvada...

— Enganando-nos para cairmos no buraco! — continuou Lucinda. — Ela tinha tudo planejado, ela fez...

— De propósito, ela nos odeia! — completou Ruby, que tentava em vão arrancar os galhos de seus cachos.

— Veja o que essa criança fez conosco! Ela tem que ser punida! — as irmãs esquisitas grasnaram em uníssono.

O Rei olhou de sua filha para as primas e disse:

— De fato, deve! — Ele agarrou a filha pelo braço. — Vá para o seu quarto agora e não saia de lá até eu mandar chamar você, entendeu?

A expressão no rosto de Branca era de puro terror. Ela tentou protestar, mas o Rei não permitiria explicações.

— Não discuta comigo, Branca! Não vou admitir filha minha agindo de forma tão deplorável. Você é uma *princesa*...

Foi então que a Rainha irrompeu no salão de baile, enfurecida, só faltando golpear o esposo.

— O que em nome dos céus você está fazendo? — ela gritou. — Tire as mãos dela! *Largue-a!*

O Rei estava chocado.

— Como disse?

— Talvez o campo de batalha e os tiros de canhão o tenham deixado meio surdo. Largue-a. E depois me explique por que você está tratando sua filha — *nossa* filha — dessa maneira!

Em seguida, a Rainha reparou na presença das irmãs. Ela olhou na direção delas, e as três se encolheram recuando, tentando escapulir antes que a Rainha pudesse desviar sua ira para elas.

– Quanto a vocês, senhoras – a Rainha ordenou –, tratem de deixar a corte *imediatamente*! Mandarei embalar seus pertences e eles lhes serão enviados em outra carruagem, logo que for possível. Não *tolerarei* vocês aqui nem mais um momento!

A voz de Lucinda soou estridente como sempre.

– Isto é um ultraje! Somos primas do Rei, e não vamos ser...

A Rainha não deu a ela, nem às outras duas, que provavelmente teriam completado a sua frase, a oportunidade de fazê-lo:

– Guardas, levem essas mulheres diretamente para a carruagem que as aguarda lá fora. E escoltem-nas, a fim de garantir que elas cheguem em casa sem contratempos. Se elas tentarem aprontar alguma, por mínima que seja, conto com vocês para colocar um fim nisso. Agora, senhoras, sugiro que vocês aproveitem para se escafeder antes que meu marido ouça o que vocês tramaram. Primas ou não, vocês poderão descobrir que ele teria bem menos misericórdia em seu coração para com vocês do que eu lhes mostrei esta noite. Agora, sumam da minha frente antes que eu pense melhor e as jogue no calabouço para apodrecer, que é o que vocês merecem.

O Rei viu algo em sua esposa que nunca tinha visto antes, e parecia ao mesmo tempo impressionado e aterrorizado. Enquanto os guardas agrilhoavam as irmãs, Ruby murmurou:

– Isso é absolutamente...

– Necessário? Não há, quem sabe, outra maneira de deixarmos... – Lucinda continuou.

– O salão de baile? Nós não desejamos desfilar deste jeito pelo salão principal – finalizou Martha.

A Rainha sorriu para as irmãs maliciosamente e disse:

– Na verdade, *há* outra saída... – As irmãs pareceram aliviadas. A Rainha prosseguiu: – No entanto, acho que prefiro que todo mundo veja que mulheres infames e vis vocês são.

As irmãs pareciam abatidas e cabisbaixas quando foram conduzidas para fora do salão de baile pelos guardas. Ao saírem, foram recebidas com olhares de reprovação dos outros convidados. As damas sussurravam por trás de suas mãos enluvadas enquanto observavam as irmãs serem levadas pelo corredor. Ruby quase desmaiou de vergonha, enquanto Lucinda parecia firme e resoluta, com o queixo erguido, como se sua reputação não estivesse completamente manchada aos olhos de todo o reino. O Rei não conseguiu ocultar a sua total perplexidade quando a Rainha não mudou a forma de se dirigir a ele, mesmo depois de as irmãs já terem sido expulsas do salão:

– Beije sua filha e diga a ela o quanto você a ama – a Rainha ordenou-lhe.

O Rei piscou, atônito. Ele era o Rei. Sua palavra era lei. Mas havia algo na severidade da voz de sua esposa, havia algo em seu comportamento, que o obrigou a obedecer.

– Não tenho tempo agora para explicar a você o que se passou, meu esposo. Você deve confiar que eu fiz o que é certo; conversaremos sobre isso depois, num momento mais oportuno.

– Claro, minha querida – disse o Rei, só faltando curvar-se obsequioso para a esposa.

– Agora, diga-lhe que está arrependido por tratá-la tão mal, e vamos para o salão principal cumprimentar os nossos convidados.

O Rei novamente a obedeceu, e a Rainha girou com a rapidez de um dervixe,[2] o que fez sua capa chicotear o ar, e deixou o salão de baile decidida, reunindo-se aos seus desconcertados convidados na celebração.

2 Neste caso, membro da ordem ascética Mevlevi de monges que seguem o islamismo sufista, que se distinguem por observâncias características, entre as quais cerimônias de adoração em que rodopiam sem parar, num ato de devoção chamado "dhikr". (N. T.)

Capítulo VIII

O homem no espelho

O dia estava quase nascendo no solstício quando os últimos convidados partiram e o Rei e a Rainha finalmente recolheram-se aos seus aposentos. A Rainha, cujo semblante não havia suavizado durante a noite, dirigiu sua raiva para o marido mais uma vez.

— Não consigo imaginar o que aquelas bruxas possam lhe ter dito que o fizesse tratar Branca de maneira tão terrível.

O Rei baixou a cabeça.

— Eu conversei com Branca e assegurei-a do meu amor por ela. Eu lhe disse que estava profundamente arrependido e ela me perdoou, por que *você* não pode fazer o mesmo? — disse ele.

Os olhos da Rainha encheram-se de lágrimas.

— Minha querida, o que foi? Por favor, diga-me — o Rei implorou.

A Rainha olhou diretamente nos olhos do Rei.

– Eu nunca pensei que o veria machucar a nossa filha.

O Rei parecia completamente humilhado.

– Eu não a machuquei, meu amor, juro a você.

– Você machucou o *coração* dela – esclareceu a Rainha, entregando-se agora completamente às lágrimas. – Eu conheço aquele olhar, aquele rostinho magoado de coração partido. É o mesmo olhar, a mesma expressão, que eu encarava dia após dia nos espelhos do meu pai quando criança. Oh, ele era um homem cruel. Um verdadeiro monstro. E pensar que minha mãe, minha mãe tão adorável e bela, foi casada com ele. Ele me odiava. Oh, sim, ele me odiava, e me dizia isso. "Menina feia, inútil e tola", ele dizia. As palavras feriam mais profundamente do que os machucados e cicatrizes de qualquer dor física que ele infligira a mim. Pelo menos, essas feridas foram curadas.

A Rainha desabou no chão, sentada ali no piso da alcova com o rosto enterrado nas mãos.

Ela ergueu os olhos para o Rei de pé diante dela, que a encarou compadecido.

– Por favor, perdoe-me, querida – disse ele. – Você mencionou o campo de batalha mais cedo. Você estava certa, ele realmente é capaz de mudar um homem. De transformá-lo em algo mais do que um homem... e, ao mesmo tempo, em algo menos. Antes, eu não era eu mesmo.

A Rainha viu que isso era verdade. Ela viu em seus olhos, e escrito nas cicatrizes em seu rosto, e na selvageria de seu cabelo desgrenhado.

— Eu vou ver como está Branca — disse o Rei, visivelmente ruminando tudo o que havia acabado de saber sobre a infância da Rainha.

— Claro, meu querido, dê um beijo nela por mim. Eu vou me trocar para me deitar.

O Rei beijou a Rainha, deixando-a sentada na beirada da enorme cama de dossel. Ele a beijou novamente e saiu para ver sua filhinha adormecida, sem dúvida na esperança de aliviar a culpa em sua consciência.

A Rainha estava absolutamente esgotada. Ela se deitou no colchão de plumas, sem energia para vestir suas roupas de dormir. Suspirou profundamente, esfregando as têmporas.

— Boa noite, minha Rainha.

Ela sentou-se rapidamente, esperando que fosse um dos guardas com notícias das irmãs. Mas ninguém havia entrado no quarto, até onde podia perceber.

— Aqui, minha Rainha.

Ela dirigiu o olhar para a extremidade oposta do quarto, de onde a voz parecia estar vindo.

— Olá? Tem alguém aí?

— Sim, minha Rainha.

— Mostre-se, então. E diga por que está aqui, homem.

Ela se aproximou da lareira.

— Aqui em cima, minha Rainha. Nada tem a temer, minha Rainha.

A Rainha olhou para o alto, em torno de todo o quarto, até mesmo para dentro da fumegante lareira, mas não conseguiu ver ninguém.

— Sou seu escravo — disse a voz.

— Meu escravo? Este reino não mantém escravos.

— É meu dever transmitir-lhe as novidades do reino, qualquer coisa que você desejar saber; eu vejo tudo, posso mostrar-lhe tudo o que você quiser.

— Pode fazer isso?

— Eu vejo tudo, minha Rainha, nos corações e mentes de cada mísera alma no reino.

— Diga-me então, onde está o Rei?

— Com a filha.

— Isso você escutou ele próprio dizer antes de sair do quarto. O que está acontecendo agora?

— Ele está chorando. Está terrivelmente envergonhado pela forma como tratou a menina e por ter magoado você tão profundamente ao fazê-lo.

A Rainha sentiu-se tonta.

— Que tipo de truque barato é esse? Com certeza você estava no quarto esse tempo todo. Ouviu tudo o que o Rei estava dizendo. Saia agora mesmo de onde está escondido!

— Por favor, não tenha medo, minha Rainha, eu estou aqui para ajudá-la em todas as coisas. Eu não sou o homem que imagina que eu seja em seus sonhos, eu não posso machucá-la.

— Você sabe dos meus sonhos?

— Sem dúvida, minha Rainha. E, embora você tenha procurado por todo o quarto, não olhou no lugar onde sabe que pode me encontrar.

O coração da Rainha pareceu parar de bater e ela sentiu como se todo o sangue em seu corpo estivesse correndo para a cabeça. Ela se virou e rasgou a cortina que cobria o espelho de seu pai. Embora de certa forma já esperasse o que iria encontrar ali, não estava preparada para o choque de ver um rosto vivo e em movimento pairando diante dela no espelho. Os olhos da Rainha se arregalaram de terror, sua boca quedou aberta. Era uma visão paralisante: uma cabeça sem corpo que parecia uma espécie de máscara grotesca. Fios de fumaça mística espiralavam em torno daqueles olhos vazios e da boca de cantos caídos; seu rosto macabro parecia infeliz.

– Quem é você? – a Rainha esforçou-se para falar.

– Você não me reconhece? Minha cara, foi há tanto tempo assim? Os anos que nos separaram levaram-na a me esquecer... feiticeira?

E, nesse momento, o rosto da Rainha empalideceu.

Ela reconheceu o rosto no espelho, rapidamente perdeu toda a capacidade de firmar-se e caiu desmaiada.

Mas, antes de mergulhar na escuridão, ela pôde ouvir ainda duas palavras saídas da boca daquela visão no espelho:

– Minha filha...

Capítulo IX

O Artesão de Espelhos

Ao ouvir o barulho, o Rei correu para o quarto da Rainha. Ele a encontrou consciente, mas abalada, caída no chão frio de pedra. A Rainha estava tremendo, segurando a cortina que havia arrancado do espelho.

Ela olhou para cima, mas o homem no espelho não estava mais lá.

O Rei estendeu a mão para ela, mas ela recuou, horrorizada.

– O que aconteceu, minha esposa? Fale comigo!

– Eu sinto muito... meu amor... eu não queria... assustá-lo – a Rainha balbuciou meio grogue, tentando recuperar o fôlego. – Eu apenas... devo ter desmaiado.

A Rainha estava tonta. Não conseguia recobrar a fala para explicar o que tinha acontecido.

– O espelho... – foram as únicas palavras que conseguiu formar.

O Rei olhou para a cornija da lareira.

– O espelho de seu pai. Claro. Foi por isso que você tomou tamanha aversão a ele. Se eu soubesse de tudo o que você acabou de me contar, eu jamais o teria trazido para o nosso lar.

A Rainha esforçou-se para falar novamente.

– Destrua-o, por favor – ela conseguiu murmurar.

Sem pestanejar, o Rei arrancou o espelho da parede e o quebrou na cornija. O vidro espatifado espalhou-se pelo chão do quarto como poeira estelar salpicada num céu sem lua.

A Rainha suspirou, aliviada, embora não inteiramente convencida de que o espelho estivesse destruído para sempre. Ela reuniu todas as suas forças para falar.

– Antes do dia em que o conheci, meu senhor, eu tinha pavor de visitar o meu pai em sua oficina. Ver o meu rosto refletido incontavelmente à minha volta apenas me lembrava de como era ruim a minha aparência... Um fato do qual eu não precisava ser lembrada. Não se passou um dia sequer na minha infância sem que o meu pai dissesse como eu era feia, e era assim que eu me via. Minha mãe era bonita; eu tinha consciência disso pelo retrato que ficava pendurado na pequena e lúgubre casa de meu pai. A única fonte de beleza na minha vida era aquele retrato, e eu ficava olhando para ele por horas a fio me perguntando por que eu não era bonita como ela. Eu não entendia por que meu pai se contentava em viver em um casebre em ruínas, quando poderia se dar ao luxo de viver onde bem entendesse. Não importava o quanto eu a esfregasse, não conseguia livrar a casa do cheiro de mofo. Eu não conseguia imaginar minha mãe – tão bela – vivendo naquela casa, e eu fantasiava que de certa forma a casa também entrara em luto pela morte dela. Fantasiava que, quando ela estava viva, o lugar provavelmente era um aprazível chalé onde os pássaros pousavam nos parapeitos das janelas para se alimentar e flores cresciam ao redor. Mas, depois da sua morte, tudo dentro da casa estava mofando e se deteriorando, tudo exceto as coisas de minha mãe, que meu pai mantinha trancadas. Às vezes, eu abria aqueles baús e me enfeitava com seus vestidos e joias antigos. Vestidos maravilhosos com intrincados bordados de pedrarias e joias que brilhavam como as estrelas. Ela parecia amar coisas bonitas e delicadas, e eu me perguntava se, caso não houvesse morrido, ela teria me amado, feia como eu era... – A Rainha continuou o seu relato: – Histórias sobre o amor de meu pai por minha mãe eram conhecidas por todas as terras. A história sobre o Artesão de Espelhos e sua linda esposa era recontada em todos os cantos e reinos como um mito antigo tecido com fios de amor e tristeza. Meu pai criava espelhos de todos os formatos e tamanhos, espelhos maravilhosos que inspiravam grandes reis e rainhas a atravessarem montes e vales só para adquirir um de seus magníficos e encantadores tesouros. Minha mãe adorava o solstício de inverno, e meu pai tornava a ocasião um grandioso espetáculo. Ele fazia pequenos espelhos com formato de sóis, luas e estrelas e os pendurava em todas as árvores em sua propriedade. Velas também decoravam as árvores, e sua luz era replicada e multiplicada pelo reflexo dos espelhos, de modo que a casa podia ser avistada a quilômetros de distância – uma minúscula cidadezinha mágica brilhante e iluminada em um mar de escuridão invernal. Diziam que o artesão certa vez comentara que o esplendor que ele criava em torno de sua casa todos os invernos não era páreo para a beleza fulgurante de sua esposa: seus cabelos negros, a pele alva e os reluzentes olhos de ônix – daquele tipo de olhos que se inclinam para cima nos cantos, o que lhes empresta um ar felino. Como eu queria que alguém me amasse da mesma forma que meu pai amava sua esposa... Inspirado por sua beleza, ele criou complexos e requintados tesouros para que ela pudesse ver constantemente o reflexo de sua perfeição. Eu achava que nunca conheceria um amor assim, nem saberia como é ser bela. E então eu o conheci na loja de espelhos do meu pai. Quando você partiu prometendo voltar, deixando-me sozinha e confusa, a reação do meu pai fez meu coração disparar de pânico. "Você obviamente o enfeitiçou, filha. Logo logo ele a verá como a bruxa vil que você é", ele me disse. Tentei convencê-lo de que eu não era nenhuma bruxa. Eu não conhecia nenhum feitiço. Mas ele insistiu. "Não pense você que um homem como ele desejaria tê-la como esposa. Você está muito velha, filha, e sem graça; você é banal em todos os sentidos". A morte da minha mãe foi resultado de meu nascimento, e tenho certeza de que meu pai me culpava por isso, enxergando a minha semelhança com ela como um insulto debochado acrescentado à dor de sua perda. Meu pai nunca falou sobre a noite em que minha mãe morreu, mas eu ouvi minúsculos fragmentos da história e os reuni em minha imaginação, como reflexos em um de seus espelhos quebrados. Eu imaginei minha mãe se contorcendo em terrível agonia. Em minha mente, eu a via apertando a volumosa barriga grávida, sofrendo terrivelmente, clamando ao seu marido por ajuda, enquanto a parteira fazia o que podia. Meu pai, impotente, com o rosto lívido, tomado pelo terror enquanto minha mãe jazia ali sem vida após o parto, e seus olhos se enchendo de repulsa ao contemplar a pequena criatura que arrancara de sua vida seu querido amor. Meu pai deve ter me odiado a partir daquele dia. Sempre que olhava para o meu rosto, era com nojo. Certa vez, eu devia ter cinco ou seis anos de idade, eu estava sozinha em nosso quintal, e o sol atravessava a copa das árvores. Eu juntava um buquê de flores silvestres quando meu pai me surpreendeu: "O que você está fazendo com essas flores, menina?", ele perguntou; seu rosto transtornado por uma fúria mal contida. Eu disse a ele que queria levar as flores para a minha mãe. Ele me olhou fixo, cruelmente. "Você sequer a conheceu! Por que ela iria querer flores de você?". Eu me lembro que estava profundamente triste, muito chocada, e chorando quando respondi: "Ela era minha mamãe, e eu a amo". Ele se limitou a olhar para mim daquela mesma maneira com a qual eu havia me acostumado — daquele jeito que me dizia que se eu dissesse mais alguma coisa, ele iria me bater. Às vezes, ele me batia mesmo quando eu ficava em silêncio. Naquele dia, simplesmente fiquei ali parada e lhe estendi as flores, olhando para ele com os lábios trêmulos, à beira das lágrimas, esmagada por tantas emoções diferentes que um mero choro não poderia expressá-las. Ele arrancou violentamente as flores da minha mão minúscula. Então, virou as costas para mim e saiu do quintal. Tive a esperança de que ele fosse colocar as flores no túmulo da minha mãe, mas tenho quase certeza de que ele não o fez. Eu prometi a mim mesma que não deixaria os demônios do meu pai macularem a minha alma. Jurei que estava começando uma nova vida com você. Eu queria esquecê-lo e ser feliz com você e o meu belo passarinho. Fiz a promessa de que faria de Branca minha própria filha e a amaria do jeito que eu queria que meu pai tivesse me amado – que eu diria para Branca de Neve todos os dias de sua vida como ela era bela, e que iríamos dançar juntas e rir. E, ao contrário do meu pai, eu levaria Branca para visitar o túmulo da mãe e usaria as cartas que você me confiou para lhe contar sobre ela. Eu decidi nunca mais pensar no Artesão de Espelhos. Ele agora pertence à escuridão. No dia em que meu pai morreu, foi como se a minha vida tivesse sido inundada de luz, como se a sua descida às trevas me houvesse trazido para um mundo iluminado onde eu finalmente seria capaz de encontrar o amor e a felicidade. No mesmo instante, levei todos os seus espelhos para fora da nossa casa e os pendurei em uma árvore gigante na propriedade. Foi o espetáculo mais impressionante que eu já tinha visto, os espelhos balançando ao sabor da brisa, capturando a luz do sol e refletindo-a da maneira mais magnífica. Aquela visão me tirou o fôlego. O povo da cidade também achou bonito. Eles pensaram que era uma homenagem ao meu pai, e eu os deixei acreditar nisso. Não precisavam saber do homem horrível que ele era, não precisavam saber que pela primeira vez eu havia saído para a luz, que eu não estava mais mergulhada em escuridão e dúvida. *Essa* foi a verdadeira razão de minha celebração. Ninguém sabia o quanto ele me odiava, como sua alma era cruel e totalmente desprovida de humanidade. Alma... ha ha! Ninguém sabia o quanto! Eu me pergunto se ele tinha mesmo uma. Deve ter tido, um dia. Seu amor por minha mãe era tão grande... Talvez sua alma tenha morrido com ela, na noite em que deixou este mundo. Ainda assim, tudo o que restou nele foi pura maldade. Eu velei por ele em seu leito de morte, cuidando, tentando mantê-lo vivo, porque, no fundo do meu coração, eu sabia que isso era o certo, tratar o sangue do meu sangue dessa forma. Ainda assim, ele não tinha nada além de ódio e palavras amargas para mim: "Você sabe que ele não vai voltar para ver você, não sabe? Você sempre foi uma criança feia. Por que um *rei* iria perder seu tempo com você?". Eu estava lá quando ele deixou este mundo. Bem ao lado dele. Segurando em sua mão para que ele não tivesse necessidade de partir sozinho para essa grande viagem rumo ao desconhecido. E no momento antes de morrer, seus olhos quase sem vida pousaram em mim. Eu, tola que sou, por um instante cheguei a acreditar que ele ia me agradecer. Em vez disso, ele disse: "Eu nunca amei você, filha". E, então, ele fechou os olhos e deixou este mundo.

O Rei sentou-se em silêncio. Descansou o queixo sobre as mãos cruzadas enquanto se balançava para a frente e para trás, refletindo sobre tudo o que tinha acabado de descobrir. Em seguida, ele se ajoelhou ao lado da Rainha e a tomou em seus braços.

– Eu gostaria que ele estivesse vivo hoje – disse o Rei –, para que eu pudesse matá-lo com as minhas próprias mãos, por tudo o que ele fez com você.

A Rainha ergueu a vista para o marido que, quando conhecera, parecia ter apenas amor em seu coração. Para amar até mesmo os seus inimigos. Será que ela era tão importante para ele a ponto de fazê-lo trair suas próprias crenças?

Aquele era o homem que ela amava acima de todos os outros. Ela tocou sua mão, calejada com as cicatrizes de batalha, pelo peso das armas e de empunhar espadas. Ela meteu as mãos nas dele, aninhou-se em seus braços e, em seguida, beijou-o de leve nos lábios. Sua boca, antes macia, estava agora rachada e áspera pela exposição às intempéries. Tinha gosto de suor e, a Rainha pensou, sangue.

Por que, perguntou-se, as coisas têm que mudar? Por que ela não podia simplesmente congelar o tempo no dia em que se casou, e viver feliz para sempre com Branca e o Rei? Por que ela não podia simplesmente criar paz na terra para que o seu marido não precisasse deixá-la de novo?

Ela continuou a se perguntar exatamente as mesmas coisas durante todo o mês seguinte, enquanto ainda tinha o Rei junto a ela. Mas, no dia 23 de janeiro, o Rei deixou-a novamente.

— Papai, eu vou sentir sua falta — disse Branca.

— Eu prometo voltar para casa em breve, minha querida Branca. Eu sempre volto, não volto?

A menina assentiu.

— Eu amo você, e vou sentir muita saudade, querida — o Rei disse com um suspiro profundo.

— Eu também amo você, papai!

O Rei beijou a filha e girou-a no ar, o que a fez rir.

— Vou sentir saudades de vocês duas, com todo o meu coração. Vocês duas estarão sempre em meus pensamentos.

A Rainha e Branca permaneceram ali no pátio, acompanhando a partida do Rei e de seus homens, que seguiram a cavalo, encarando as montanhas cobertas de neve. As tochas que portavam brilhavam naquela tarde sombria de inverno, e o ar gelado era do tipo que embaça a superfície dos olhos, fazendo com que se possa praticamente vê-lo. O exército do Rei tornava-se cada vez menor na distância, como formigas escalando pilhas de açúcar.

Pouco depois, os homens mergulharam abaixo da linha do horizonte e o Rei se foi.

Capítulo X

Alma despedaçada

Para a Rainha, enquanto o Rei estava ausente, os dias se arrastavam como meses e as semanas como anos. O castelo estava tão quieto... Ela sentia falta dos dias em que ele se enchia do riso alegre de Branca quando ela era perseguida pelo pai rosnando, fingindo ser um dragão ou um feiticeiro.

Em breve, ela dizia a si mesma, em breve ele vai voltar e com ele as paredes de pedra do castelo se encherão outra vez de vida.

Mas, por ora, o castelo parecia morto. A Rainha estava sentada em sua confortável poltrona-trono ao lado da lareira em seu quarto, perdida em um de seus manuscritos favoritos, *A Canção de Rolando*.[3] Mas tudo na obra lembrava-a do Rei, por isso, ela a colocou de lado e pediu aos criados que lhe preparassem um banho.

---

3 Canção de gesta, ou poema épico, pertencente ao ciclo carolíngio, considerada uma das obras mais significativas da literatura medieval francesa. Escrita em centenas de versos, no século XI, é atribuída a um monge normando, Turoldo. (N. T.)

Muito mais rapidamente do que havia previsto, uma batidinha soou em sua porta.

– Vossa Alteza, Vossa Majestade... – disse a jovenzinha tímida e trêmula na porta. A Rainha nunca a vira antes e concluiu que ela devia ser uma nova criada.

– Calma, querida, eu sou uma Rainha, não uma bruxa – tranquilizou-a a Rainha, sorrindo.

– Sim, bem, isso aqui – a garota indicou um grande pacote embrulhado que era quase tão alto quanto ela própria – chegou aqui hoje para a senhora. Os guardas o examinaram, e parece não representar nenhum... nenhum perigo...

A garota depositou o pacote no chão com a ajuda de alguns homens e ergueu a vista para a Rainha, que olhava desconfiada para o embrulho.

– De onde ele vem? – ela quis saber.

– Ele chegou com este bilhete – explicou a criada, segurando um pergaminho enrolado, que se balançava como uma folha levada pelo vento na mão trêmula da garota. – Eu não estou... a par do que diz aqui, e por isso não estou ciente da sua... origem.

A Rainha apanhou rapidamente o pergaminho e desenrolou-o.

O pergaminho era muito maior do que o necessário, e continha uma linha escrita:

Por sua hospitalidade

A Rainha ergueu uma sobrancelha.

– Você disse que não sabe o que o embrulho contém? – perguntou ela.

– Eu não sei, Vossa... Vossa Majestade – a garota respondeu baixinho –, mas os guardas confirmaram que é inofensivo – ela lembrou a Rainha.

A Rainha parou por um momento, e então continuou:

– Muito bem, então, traga-o para cá.

A garota lutou com o grande pacote, que estava mal embrulhado em pedaços irregulares de lençóis rasgados, o que tornava impossível determinar a forma ou o tamanho real do que estava lá dentro. Alguns homens correram para ajudá-la, e foi preciso quatro deles para levar para perto da Rainha.

– A senhora precisa de mais alguma coisa, minha... minha Rainha? – perguntou a criada.

A Rainha fez que não com a cabeça, e a garota fez uma reverência, deixando em seguida o aposento rapidamente, seguida pelos homens.

A Rainha ficou andando de um lado para o outro diante do pacote. Poderia ter sido enviado por qualquer um dos convidados que assistiram à celebração do solstício. Uma prova de gratidão e boa vontade. Os guardas o haviam verificado, afinal de contas.

Então, por que ela estava tão hesitante em abri-lo?

A Rainha olhou para o presente embrulhado desajeitadamente. Releu o pergaminho. Então, tomou coragem e rasgou os lençóis nas costuras.

– Bom dia, minha Rainha – o rosto no espelho disse, encarando-a por trás de uma capa de linho esfarrapada.

Ele sorriu de forma malévola e astuta.

A Rainha soltou um berro e recuou do espelho.

– Você tem estado solitária – disse o Escravo.

– O que você quer, demônio? – a Rainha respondeu.

– Você tem pensando em seu marido, desejado sua companhia. Mas eu sou tudo o que você precisa, minha Rainha – afirmou o Escravo.

– O que você poderia me oferecer, maligno? – a Rainha retrucou.

– Como eu lhe disse, eu vejo tudo no reino. Eu poderia contar-lhe quais são as lembranças favoritas de sua filha, ou, sobre sua irmã, Verona… Eu poderia revelar os segredos mais profundos dela para você. Mas é em seu *marido* que você tem pensado principalmente esses dias, não é? Eu poderia dizer-lhe onde ele está, o que está fazendo. Deixe-me fazê-lo… Ah, sim, o mais recentemente que posso vê-lo é poucos dias antes da presente data. Hum… E por que é assim? Ele está em seu cavalo. Sua espada é erguida no ar. Oh! Uma seta quase acertou o seu rosto. Foi atingido de raspão. Sim, há sangue, em grande quantidade, escorrendo de seu maxilar. E muito alarido. Mas ele é orgulhoso e valente. Um verdadeiro guerreiro. Está sangrando, mas vai continuar a lutar. Ele estará seguro. O campo de batalha é o maior tumulto, não? Oh, e agora, o que é isso? Um homem com uma lança se aproxima pelas costas do Rei. Eu acho que o seu marido não se apercebeu do atacante. Se ao menos pudéssemos avisá-lo! Se pudéssemos de alguma forma impedir a lança de entrar em suas costas e atravessá-lo até emergir do outro lado, de seu peito... para evitar que ele...

– Demônio! – gritou a Rainha. – Pare com isso imediatamente! Você diz essas mentiras como se fossem a verdade imortal!

O Escravo sorriu levemente, com ar de superioridade e, em seguida, fixou o olhar sobre a Rainha.

– Não! – ela gritou, agarrando um recipiente de vidro contendo bálsamo aromático que estava ao seu alcance e espatifando-o contra o espelho. – Mentiras! – gritou a Rainha.

Verona correu para o seu quarto. Seus olhos estavam vermelhos e seu rosto manchado de lágrimas.

– Minha Rainha – disse Verona com a voz trêmula. Depois, ela envolveu a Rainha com os braços e a embalou, sentada no chão com ela. – Você já soube da notícia, então? A terrível notícia?

A Rainha olhou nos olhos cheios de lágrimas de Verona.

Verona continuou:

– Seu corpo está sendo trazido para cá agora.

A Rainha cobriu a boca com a mão trêmula, os olhos arregalados, olhando para Verona em descrença.

Ele não podia estar morto; ela tinha acabado de vê-lo poucos meses atrás. Ele estava apenas ferido; sim, ferido e retornando para o lar para tratar seus ferimentos. O Escravo no espelho era um mentiroso! E as mensagens do campo de batalha nunca foram confiáveis. Alguém sempre entende alguma coisa errado. Ele estava ferido, mas não era nada sério. E ele estava voltando para ela. Para o seu lar. Agora.

– Não, ele está vindo para casa! Ele está voltando para casa. – Era tudo que a Rainha conseguia dizer.

Verona sacudiu a cabeça negativamente. O rosto da Rainha, o cabelo e as roupas estavam encharcados das lágrimas dela própria e de Verona. A dor em seu peito intensificava-se enquanto ela absorvia lentamente a realidade da morte de seu marido.

Morto!

Ela nunca mais iria vê-lo, nunca mais ouviria sua risada alegre, nunca mais iria sentar-se junto à lareira para vê-lo brincar de dragão com Branca ou contar-lhe histórias de bruxas que viviam na floresta.

– Você pode sair agora – a Rainha disse para Verona com o máximo de compostura que conseguiu reunir.

Verona colocou as mãos nos ombros da Rainha.

– Por favor, deixe-me ficar com você.

– Não, Verona, eu preciso de um tempo sozinha.

Assim que Verona saiu da sala, a Rainha sentiu o grande peso da tristeza e da raiva. Ela não conseguia respirar. Com certeza ela não iria sobreviver àquela dor. Ninguém ferido tão profundamente consegue sobreviver, ela pensou; era inconcebível passar o resto de seus dias em tal agonia, sem seu querido amor ao seu lado.

Era melhor morrer.

Mas o que seria de Branca de Neve?

E como poderia olhar a criança nos olhos agora? E transmitir-lhe aquela notícia horrível? Aquilo simplesmente a devastaria, partiria o seu coração de maneira irremediável. A Rainha ergueu-se sobre os joelhos bambos e, segurando-se nas paredes e corrimões, desceu lentamente as escadas, que pareciam balançar sob seus pés.

No pátio, Branca estava sentada junto ao poço. Ao vê-la agora, a Rainha sentiu uma pungente pontada no coração, como jamais experimentara. Branca observava um pequenino azulão bicar migalhas de pão em cima da parede do poço. Ela parecia extasiada, num mundinho só seu, um mundo em que seu pai estava longe, mas ainda vivo.

A Rainha tinha consciência de que iria mudar a vida daquela criança para sempre, despedaçando o seu mundo com poucas palavras: *Seu pai está morto.*

Ela remoeu tal pensamento em sua mente enquanto se aproximava da menina. A filha dela. Agora, ela seria tudo o que Branca tinha no mundo.

Quando finalmente se aproximou da criança, não teve coragem de dizer aquilo em voz alta; fazê-lo seria torná-lo real, e ela não poderia enfrentar uma realidade tão dura. Ela queria ser forte por Branca, mas proferir palavras tão dilacerantes a faria desabar por completo.

Então, tratou de ocultar o seu profundo pesar. E engasgou com as palavras quando as forçou sair de sua garganta.

— Branca, minha doce menininha, meu passarinho, eu tenho que lhe dizer uma coisa.

Branca ergueu a vista do azulão que estava alimentando e sorriu para a mãe.

— Olá, mamãe! — disse ela, sorrindo alegremente.

A Rainha lutou para manter a compostura quando se sentou ao lado da menina na borda do poço. O rosto de Branca de Neve se iluminou.

— É sobre o papai? Ele está voltando para casa hoje? Nós podemos dar uma festa, como fizemos no início do inverno?

— Passarinho... — a voz da Rainha falhou e faltou.

— Mamãe, o que há de errado?

A Rainha sacudiu a cabeça e fechou bem apertado os olhos para represar as lágrimas.

Branca fitou a mãe com olhos tristes e negros e perguntou:

— Ele não vai voltar ainda, não é? Agora não?

A Rainha sacudiu a cabeça.

— Nunca.

— Eu acho que talvez você esteja enganada, mamãe, ele prometeu que iria voltar para casa em breve, e papai nunca quebra suas promessas.

A tristeza da Rainha se intensificou. Ela se forçou a engoli-la e a sentiu rasgando-a por dentro, cortando suas entranhas, como se fosse um grande e afiado caco de vidro. Sentia-se arrasada, não tendo mais condições de conter as lágrimas.

— Eu sei, minha lindinha, mas não estou enganada. Ele não pôde evitar, minha querida, ele não vai voltar para casa desta vez.

Os lábios da garotinha tremiam e depois todo o seu corpo começou a estremecer também. A Rainha estendeu os braços para ela, e Branca de Neve escondeu-se no colo da mãe e urrou um soluço sobrenatural. A criança tremia tão violentamente que a Rainha sentiu que poderia esmagar a menina por apertá-la com tanta força. Enquanto abraçava Branca, ela desejou que houvesse um meio de arrancar o sofrimento da criança e transferi-lo para si própria, unindo-o ao seu.

Estava desesperada e impotente.

Enquanto levava Branca de volta para o castelo, percebeu que estava entrando em outro mundo, completamente diferente – um mundo alterado para sempre. Não podia conceber isso. Sentiu-se perdida, flutuando em um pesadelo, entorpecida e emocionalmente distante. Olhou-se no espelho pendurado no salão principal, simplesmente para lembrar a si mesma que ela *ainda* estava no mundo. Sentia que não podia ser verdade que tudo aquilo estivesse mesmo acontecendo. E, no entanto, estava.

Verona surgiu no fim do corredor, consternada.

– Verona, por favor, venha pegar Branca – pediu a Rainha.

– Não! Mamãe! Não me deixe! – protestou Branca.

Verona aproximou-se das duas para levar a menina. Mas Branca se agarrou firmemente às pernas da Rainha.

– Não! Mamãe! Não me deixe! Estou com medo! – ela gritava, enquanto Verona a desgrudava de sua mãe.

A Rainha permaneceu inflexível e fria e dirigiu-se para o seu quarto, onde desmaiou sob o terrível e sarcástico olhar do Escravo no espelho.

Capítulo XI

Despedidas

Com o passar dos dias, a Rainha podia sentir a mão do Rei na dela enquanto dormia. Às vezes, ela ouvia seus passos na escada, ou a sua batida na porta do quarto. Vez por outra, ouvia uma risada que pensava pertencer a ele. Em tais momentos, ela dizia a si mesma que tudo não passara de um terrível engano e que ele estava em casa, vivo, com ela. Mas aqueles momentos desvaneciam-se rapidamente quando a nuvem espessa do desespero se dissipava e a dura realidade impunha-se a ela.

Ela fazia juramentos aos céus prometendo ser uma esposa melhor se pudesse ter o esposo de volta. Sentia-se perversa por envergonhá-lo na festa do solstício de inverno. Queria lhe dizer o quanto o amava. Ele tinha que ter sabido. Ela não podia suportar a ideia de ele não sabê-lo.

Quando chegou a hora, a Rainha não conseguiu olhar para o corpo dele sem vida. Em vez disso, pediu a Verona que o fizesse em seu lugar. E adiou o máximo que pôde a realização dos arranjos funerários. Dias – ou teriam sido semanas? – haviam se passado desde a morte do Rei e a Rainha era bombardeada com pedidos de detalhes sobre o funeral. Eles pareciam chegar a cada quinze minutos de todas as terras, pilhas deles carregados em bandejas de prata por mulheres com os olhos inchados, a criadagem toda de luto, o castelo assombrado por servos ostentando braçadeiras negras, rostos lívidos deformados pelo choro, um taciturno estado de ânimo generalizado.

Todos caminhavam "pisando em ovos" em torno da Rainha, como se ela pudesse se despedaçar a qualquer momento. Talvez alguns até se perguntassem como isso ainda não tinha acontecido.

E, durante todo esse tempo, o Escravo no espelho não mostrou seu rosto. Estranhamente, ela tinha começado a desejar sua presença. Se ele realmente podia ver tudo no reino, então, por que não além dele? O *além*, propriamente dito, o outro mundo? Mas agora que ela ansiava pela manifestação de sua imagem, ele não se mostrava.

Sua ânsia – sua agonia – era inenarrável, mas somente Verona a via chorar. A Rainha se trancava na saleta íntima e ficava olhando para além do jardim, na direção do pátio e do poço – simplesmente olhando para as flores agitando-se com a brisa –, relembrando o dia de seu casamento. Um criado lhe levava uma bandeja com chá e sanduíches somente para retirá-la intocada algum tempo depois.

Às vezes, ela pensava ter visto o Rei caminhando com seu trajeto habitual de volta para casa, para ela. Imaginava-se correndo para saudá-lo, beijando-lhe o rosto enquanto ele a erguia no ar como uma garotinha. As pilhas de cartas que se acumulavam sem cessar continuavam fechadas diante dela.

– Minha pobre menina.

Uma mulher mais velha, com sedosos cabelos prateados presos em dois coques de cada lado da cabeça, estava parada na soleira da porta da saleta íntima. Seu cabelo brilhava no sol, e seus olhos cintilavam com lágrimas e ternura. Quem era aquela mulher? Um anjo, vindo levar a Rainha?

Então, um rosto familiar surgiu por trás da mulher – Tio Marcus. A mulher devia ser a Tia Vivian.

A Rainha se levantou para cumprimentá-los, e Marcus puxou-a para si e a abraçou. Ele parecia afetuoso e sincero; ela se sentiu segura e protegida em seus braços. Seu coração ameaçou sucumbir sob o peso de sua bondade.

– Olá, Tio, estou tão feliz em vê-lo – disse ela sem convicção, como se mal pudesse acreditar que um dia sentiria algo próximo à felicidade novamente.

– Nós estamos aqui agora, querida. Eu e sua Tia Viv estamos aqui para ajudá-la.

– Peça o que quiser, querida, e eu farei – ofereceu Vivian. – Se houver qualquer coisa, minha menina, *qualquer coisa* que eu possa fazer, por favor, me diga. Eu já passei por isso, querida. Fiquei doente meses a fio. Não conseguia me levantar da cama. Oh, eu conheço todos os truques. Nós vamos trazê-la de volta à ativa o mais rapidamente possível. Dou-lhe minha palavra, querida.

A Rainha assentiu distraidamente.

– Por que eu não começo abrindo essas cartas para você? Não há sentido em você ter que passar por isso neste momento. Não há sentido algum. Vou levar todas elas, se você não se importar.

A Rainha subitamente sentiu-se envergonhada.

– Sinto muito, eu nem toquei a sineta para pedir que lhes sirvam um lanche ou que um criado lhes mostre os seus aposentos – disse ela, com os olhos nublados pela dor.

– Tudo isso já foi arranjado, querida. Verona cuidou disso. Não se preocupe conosco, meu bem, estamos aqui para auxiliá-la. Agora, o que posso fazer por *você*? Talvez um pouco de chá quente; esse bule parece frio. E acho que devemos providenciar algo de comer para você. Parece que você não está se alimentando direito há semanas – disse Tia Viv.

A Rainha fez que não com a cabeça.

– Nem tente contrariá-la, Majestade – aconselhou Marcus. – Ela vai conseguir fazê-la comer antes mesmo que você possa dizer "não". Acho melhor você ceder. Aprendi faz tempo que é muito mais fácil. E mais saboroso, também. – Marcus deu um tapinha em sua pança.

A Rainha sorriu pela primeira vez desde que perdera o marido. Foi um sorriso débil, quase forçado, mas um sorriso, mesmo assim. Era bom ter alguém mais velho por perto. Pessoas que tinham sido tão próximas de seu marido.

Com a ajuda da Tia Viv, os arranjos para o funeral finalmente foram concluídos. O corpo do Rei foi levado para o mausoléu em uma manhã chuvosa, na mesma carruagem ornamentada que conduzira o pai do Rei e todos os antepassados de seu pai antes dele para suas sepulturas. Puxando a carruagem iam dois grandes e lustrosos cavalos negros, que pareciam estar lamentando a perda do Rei com o restante do reino.

Dentro da carruagem, o caixão do Rei estava coberto de flores. Rosas vermelhas. As favoritas da Rainha. Ele havia deixado esse desejo registrado no testamento que preparara antes de partir para sua primeira campanha longe da amada. A Rainha usava um vestido preto rebordado com contas vermelho-escuro. Seu cabelo estava preso em uma farta trança enrolada no alto da cabeça. Ela era protegida da chuva por criados que sustentavam um pano grosso preto sobre sua cabeça. Branca, a criança destroçada pela tristeza, trajava um vestido carmesim. A Rainha perguntou se a menina algum dia voltaria a ser feliz novamente. E, em caso afirmativo, teria o direito de sê-lo?

A Rainha, que não tinha aparecido publicamente desde a morte do Rei, ficou de pé, amparada por Verona, enquanto o corpo era depositado no mausoléu. Verona colocou o braço em torno de sua Rainha – sua amiga – e levou-a junto a Branca de volta para a carruagem, para serem transportadas de volta para o castelo.

– Isso é uma lástima...

– Uma pena, realmente...

– Tão jovem, tão...

– Belo, sim, ele era, e agora... está morto.

A Rainha ergueu os olhos.

As três irmãs esquisitas.

– Nós tínhamos que vir – disse Lucinda.

– Esperamos que você não se importe – continuou Martha.

– Afinal de contas, nós nos separamos em condições tão aze-das, na última visita – completou Ruby.

A Rainha estava muito exaurida pela tristeza para sentir qualquer outra coisa a não ser apatia para com as irmãs. Aquele não era o momento para se irritar.

– Obrigada – respondeu a Rainha.

– Presumimos que... – Lucinda continuou.

– Você tenha recebido o nosso presente? – terminou Martha.

A Rainha assentiu com a cabeça distraidamente, sem prestar atenção direito no que elas estavam falando, sequer se lembrando da existência do espelho naquele momento.

– Ele pode ser um pouco insensível e brutal, aquele seu pai – disse Ruby. – Por favor, avise-nos se achar que ele precisa ser domado.

Verona fulminou com o olhar as irmãs paradas ali, ensopadas pela chuva. Estava cansada daquela conversinha enigmática e de suas charadas. Ela puxou a Rainha e sua filha para mais perto de si, afastando-as das irmãs e fazendo-as entrar na carruagem. As irmãs retiraram-se do funeral com passadas curtas e rápidas de aves, e a Rainha não tinha certeza se era a sua dor pregando peças nela, ou se ela realmente ouviu as risadas das irmãs enquanto iam embora.

Capítulo XII

A solidão da Rainha

A Rainha ficou de cama durante várias semanas após o funeral. Ela sentia-se culpada por não receber Branca quando ela ia visitá-la. Desejava desesperadamente consolar a menina, mas não conseguia. A visão da criança só a fazia lembrar-se mais de seu esposo. Os olhos dele pareciam encará-la do rosto de Branca. E, ao mesmo tempo, ver a Rainha naquele estado certamente perturbaria ainda mais a pobre menina.

Mas não era apenas Branca que era barrada. Desde a morte do Rei, a Rainha havia recusado qualquer visita, exceto uma. Verona estivera sempre ao lado da Rainha, implorando para que ela saísse do quarto e pegasse um pouco de sol.

— Minha Rainha, você não vai ver sua filha hoje? — Verona implorou. — Talvez vocês possam dar um passeio pelos jardins. Ela sente imensamente a sua falta. Já faz semanas desde a última vez que você saiu. Ela ama o Tio Marcus, a Tia Viv e o Caçador, mas precisa de você.

– Eu ainda não estou pronta, Verona – a Rainha respondeu.

– Muito bem. Lembre-se de que você pode contar com o meu ombro amigo em seus momentos de maior amargura. Estarei aqui para você sempre que precisar.

– Eu sei, minha irmã. E eu lhe sou grata por isso. Agora, por favor, deixe-me só.

Verona fez uma reverência e saiu do quarto, mas a Rainha sabia que ela tinha a intenção de voltar. Verona não conseguia passar muito tempo longe da Rainha.

Assim que teve certeza de que a porta havia sido fechada, a Rainha caminhou até o espelho – um ritual diário que estabelecera desde o funeral. Ela ansiava pelo reaparecimento do Escravo. Ela queria... não, ela *precisava* de notícias de seu esposo e a garantia de seu bem-estar no outro mundo.

Mas tudo que a encarava de volta quando procurava ver o Escravo ali era o seu próprio reflexo.

Ela contemplou a si mesma, arrasada e entorpecida. Parecia exausta e abatida. Seus olhos e face inchados de tanto chorar acentuavam as suas manchas e outras imperfeições. E há semanas não lavava nem penteava o cabelo.

Ela se angustiou com o que havia se tornado. Talvez sua beleza anterior no fim das contas fosse simplesmente produto de um feitiço... um encantamento lançado por seu esposo. E quando ele morreu, sua beleza – sua *falsa* beleza – morrera com ele. Como pôde um dia pensar que era bela? Que se parecia com sua linda mãe, ou rivalizava, da forma que fosse, com a primeira esposa do Rei, ou até mesmo com a pequena Branca?

Então, enquanto ela olhava para o seu odiado rosto no espelho, à beira de um desespero do qual ela jamais seria capaz de se recuperar, algo começou a tomar forma para além da superfície do vidro. Em uma névoa rodopiante dentro do espelho, o Escravo apareceu. A Rainha sentiu uma pontada de esperança e possivelmente até mesmo alegria manifestar-se dentro dela.

— Já faz bastante tempo, filha. Você aproveitou o funeral? – perguntou o Escravo.

Os lábios da Rainha se contraíram.

— Foi uma bela cerimônia, condizente com um belo homem e celebrando sua vida. E agora eu preciso de algo de você.

— E o que seria?

— Notícias de meu esposo.

O rosto no espelho riu.

— Notícias do Rei encerraram-se com sua vida.

— Você não pode ver tudo? – questionou a Rainha.

— Eu não posso ver além da morte. Mas eu tenho a capacidade de ver todas as coisas nestas terras. Posso ver coisas que a deixariam terrivelmente triste. E eu posso ver coisas que podem até deixá-la muito, muito feliz.

— O que poderia me deixar feliz novamente, agora que meu esposo está morto? – perguntou a Rainha.

— Acho que você sabe – respondeu o rosto e, em seguida, desapareceu de vista.

A Rainha bateu no vidro e gritou chamando o Escravo, mas ele havia partido. Embora a Rainha não soubesse quando ele voltaria, suspeitava que ele o faria. E quando o fizesse, ela estaria preparada.

Nesse meio-tempo, ela tinha uma mensagem para enviar.

Embora vivessem praticamente em outro reino, de tão longe, as irmãs chegaram apenas um dia depois de a Rainha mandar chamá-las. Verona deu um sorriso de escárnio acompanhado de uma careta quando as avistou adentrarem o castelo com seu andar peculiar de aves ciscando e tagarelando, como de costume. Ela viu a velocidade da chegada das irmãs como mais um acontecimento estranho a ser adicionado à lista daqueles que elas vinham acumulando. Branca de Neve fez de tudo para se esconder delas, e todos os criados da corte pareciam um tanto perturbados pela presença daquelas mulheres.

No entanto, não foi preciso lidar com elas por muito tempo. A Rainha pediu que as irmãs fossem levadas ao seu quarto imediatamente após a sua chegada à corte.

— Irmãs — recepcionou-as a Rainha —, sejam bem-vindas.

— Estamos... — disse Lucinda.

— Lisonjeadas — Ruby concluiu.

— A perda de seu esposo lhe deixou cicatrizes — disse Martha, estendendo a mão para arrancar um cabelo grisalho da cabeça da Rainha.

A Rainha se mexeu com desconforto. Houve um tempo em que teria banido as irmãs do reino para sempre por fazer uma coisa assim. Mas havia algo de que ela precisava, e ela sabia que somente as irmãs poderiam lhe dar.

— Na última vez em que nos encontramos... — a Rainha começou.

— No funeral... que dia triste... sim, um dia muito, muito triste — as irmãs cacarejaram.

— Na última vez em que nos encontramos – a Rainha começou de novo, ignorando a interrupção –, vocês falaram do meu espelho.

Três sorrisos de dar medo se abriram ao mesmo tempo nos rostos das irmãs.

— O Espelho Mágico – disse Lucinda.

— O portal para o Outro Mundo – Ruby continuou.

— Aquele que contém a alma do Artesão de Espelhos – disse Martha.

— Então, vocês sabem disso – a Rainha constatou.

— Claro que sim! Fomos...

— Nós que o criamos...

— Apesar de que não fomos nós que fizemos a parte física do vidro, da moldura e da douração...

— Mas fomos nós que prendemos a alma do Artesão de Espelhos...

— Prendemos, não... Ele nos concedeu...

— E nós capturamos a alma dele numa rede feita com o fio de seda das teias de aranha, enquanto ela flutuava para fora de seu corpo e subia, subia, subia...

— E nós a pegamos e trancamos...

— No Espelho Mágico. Não se esqueçam, irmãs...

— De que foi ele quem pediu, que praticamente nos implorou...

— Foi ele quem desistiu da própria alma e a trocou...

As irmãs começaram a gargalhar mais uma vez.

A Rainha olhou para as mulheres com frieza.

— Eu exijo que vocês contem mais. Que troca foi essa que vocês mencionaram?

As irmãs, então, iniciaram um relato que foi a coisa menos fragmentada que a Rainha jamais ouvira sair de seus lábios.

Elas falavam como uma só:

— Veja você, a esposa do Artesão de Espelhos queria uma criança... desejava ter filhos mais do que qualquer outra coisa no mundo. No entanto, ela era estéril. E o Artesão de Espelhos não suportava vê-la tão triste. E nós, que não podemos suportar ver ninguém infeliz, fizemos um trato com o Artesão de Espelhos. Dissemos a ele que, por um certo preço, nós poderíamos fazer com que sua esposa pudesse dar frutos. Mas o custo não era baixo...

— Sua alma — concluiu a Rainha.

As irmãs concordaram com a cabeça e, em seguida, continuaram.

— Então, a esposa do Artesão de Espelhos realizou seu desejo e começou a esperar sua tão ansiada criança... que também era dele, mas era ele quem nos devia pagar caro...

A Rainha ficou perplexa com as próprias emoções. Ela deveria odiar as irmãs pelo que elas tinham feito a seu pai, mas a própria Rainha o odiava tanto que ela obteve um grande consolo com o seu sinistro aprisionamento.

— Prossigam — a Rainha ordenou.

— Então, quando sua esposa deu à luz sua criança, ele recebeu o que queria e isso selou o acordo por sua alma. Nós reivindicaríamos a alma dele logo que se libertasse desta existência. Pena... e também uma ironia... que a sua mãe, Majestade, não viveria para apreciar o sacrifício do esposo.

— Nós entregamos o espelho para o seu marido — disse Lucinda.

— E fizemos-lhe o favor de fazê-lo dar o espelho a você — concluiu Ruby.

— Oh, querida, como deve ser difícil para você não ter perto de si nenhum dos seus amorosos pais — disse Martha, sorrindo.

— Mas agora, com o Espelho Mágico, seu pai estará sempre por perto — disse Lucinda, agora sorrindo também.

— Creio que vocês me disseram alguma coisa no funeral. Sobre o espelho. Sobre o meu pai. Sobre domar o espírito dentro do espelho — disse a Rainha, pouco à vontade com a conversa e se tornando cada vez mais ansiosa.

— Você está enfrentando problemas? Não está funcionando muito bem... Você está tendo problemas para chamar o seu pai, minha querida? — as irmãs perguntaram, alternando-se na fala vertiginosamente.

— Sim — disse a Rainha. — Vocês podem me mostrar como domar o espírito?

As irmãs riram.

– Você tem certeza de que é o que deseja? – perguntaram elas.

A Rainha confirmou com a cabeça.

– Você pode se desgraçar com as coisas que...

– Ele lhe disser...

– Vão em frente. Eu lhes ordeno – a Rainha retrucou.

As irmãs caminharam com seus passinhos de ave até o espelho e deram-se as mãos. Elas elevaram os braços sobre a cabeça e começaram a entoar um encantamento:

Escravo no Espelho Mágico,
Venha do espaço mais distante.
Através do vento e da escuridão, o convocamos.
Fale! Vamos ver o teu semblante.

Um vento frio começou a soprar pelo quarto, e as cortinas esvoaçaram como fantasmas. Uma chama apareceu no espelho, e então o rosto surgiu em meio a uma névoa roxa rodopiante, tal como das vezes anteriores. Mas algo estava diferente. O rosto no espelho era quase inexpressivo e muito mais dócil do que tinha sido previamente. Seria mesmo verdade o que elas haviam dito? O encantamento lançado por elas o havia domado?

– O que vocês gostariam de saber, irmãs?

As irmãs deram risadinhas de zombaria abafadas.

– Por que você tem sido tão indisciplinado para com a sua nova ama? – perguntaram as irmãs.

– Eu não tenho sido gentil com Sua Majestade, disso sei eu e vocês constataram, pois ela nunca me chamou com o poder com que vocês me algemaram.

As irmãs riram novamente.

– Você pode ir agora, Escravo – disseram as irmãs. E o rosto no Espelho Mágico dissolveu-se em um turbilhão roxo.

– Será que este tutorial satisfez Vossa Majestade? – perguntaram as irmãs.

– Sim, muito – respondeu a Rainha, sorrindo. – Vocês podem ir agora.

– Antes de nos despachar... – disse Lucinda.

– Nós lhe deixaremos outro presente – Ruby continuou.

– Você vai encontrá-lo em seu calabouço. Faça bom... – disse Martha.

– Uso dele... – Ruby terminou.

Quando a noite caiu, e as irmãs já tinham deixado a corte, a Rainha se aproximou do Espelho Mágico, ainda cansada, mas mais esperançosa agora que ela com certeza iria encontrar o que buscava ali. Ela estava tão obcecada pelo espelho que nem deu muita bola para o que as irmãs lhe haviam dito sobre um segundo presente. Ela olhou para o vidro reflexivo e pensou no que lhe perguntaria. Em seguida, recitou o encantamento das irmãs e convocou o Escravo no espelho.

– O que você gostaria de saber, minha Rainha? – perguntou o Escravo.

– Eu gostaria de saber do meu marido. Ele está bem? Ele está entre os bons ou os maus?

– Eu já lhe disse antes, minha Rainha, eu não posso ver além do que pode ser visto.

A Rainha ficou pensativa com a resposta. Toda a esperança de saber o que tinha sido reservado para o marido depois de sua morte rapidamente a deixou. Ela mal podia ver seu próprio reflexo para além do rosto no espelho. Mas o que ela podia ver a aterrorizava. Ela era tão feia como o seu pai sempre lhe dissera ser. Só havia uma coisa além de notícias sobre o esposo que poderia levantar-lhe o ânimo.

– Diga-me, espelho meu, existe alguém mais bela do que eu? – ela perguntou, desesperada.

– Você tem mesmo certeza de que deseja que eu responda a essa pergunta? – questionou o Escravo.

– Absoluta – a Rainha confirmou, rangendo os dentes.

– Saiba que eu sou limitado pela verdade – respondeu o Escravo.

– Então, se não for eu, me diga quem é – disse a Rainha, tornando-se enfurecida.

– Eu não disse que não era você. Eu disse que não podia mentir. Eu pensei que você deveria ser prevenida antes de enveredar por esse território.

A Rainha deu um sorriso escarninho e assentiu.

– Quem é ela, Escravo? Quem é a mais bela de todas? – perguntou a Rainha.

– Você foi abalada por tudo que passou. Está desgastada e... – enrolou o Escravo.

– Ande logo com isso, Escravo! – vociferou a Rainha, batendo o punho na cornija da lareira e repetindo aos berros: – Quem é a mais bela de todas?

– É você, minha Rainha – respondeu o Escravo. Então, ele desapareceu em um redemoinho de névoa, e a Rainha pôde ver o próprio rosto novamente. Seus olhos se estreitaram e um sorriso perverso esticou-lhe os lábios em um canto da boca.

Capítulo XIII

Inveja

Pouco depois de falar com o Escravo no espelho, a Rainha finalmente deixou o seu quarto, parecendo mais majestosa do que nunca. E foi como Verona disse que seria – o reino havia esperado para aclamar a Rainha como sua única governante. E fizeram isso da maneira mais grandiosa que se podia imaginar.

A ocasião foi saudada com um turbilhão de pétalas de rosa vermelhas flutuando magicamente no ar, fazendo-a lembrar-se do dia de seu casamento com o Rei, o que lhe causou uma forte pontada de tristeza no peito e a ameaça de lágrimas. Branca correu para a Rainha e abraçou-a em torno dos joelhos. Verona estava ao lado delas, sorrindo.

– Oh, mamãe, senti tanto a sua falta! – a menina exclamou. Tio Marcus e Tia Viv acenavam das laterais enquanto a Rainha erguia Branca nos braços e a multidão reunida aplaudia.

O dia foi cheio de festa, banquetes e alegria. E quando a noite caiu e a Rainha se retirou para os seus aposentos, ela se viu munida de uma nova confiança. Ela se aproximou do espelho em seu quarto e disse para o próprio reflexo:

— Eu sou a mais bela de todas.

Sentia-se renovada, não apenas por sua aclamação pelo reino, mas também por algo completamente diferente. Durante todos aqueles anos, após a morte de seu pai, pensara que havia exorcizado o fantasma dele de sua mente. Mas não era assim. Foi só quando viu o rosto dele dizer-lhe como ela era bela — a mais bela de todas, de fato — que ela sentiu como se um peso houvesse sido tirado de seus ombros. Ela tinha poder sobre ele agora, assim como ele tivera poder sobre ela durante tantos anos. E ela iria exercê-lo.

Ela convocou o Escravo no espelho, da forma como as irmãs lhe haviam ensinado. Quando ele apareceu, em meio a labaredas de fogo e colunas de fumaça roxa, ela recitou o encantamento das irmãs e, em seguida, perguntou:

— Espelho, espelho meu, existe alguém mais bela do que eu? — O Escravo, que estava condenado a dizer sempre a verdade, admitiu à Rainha que ela era a mais bela de todas, e a Rainha sentiu-se verdadeiramente segura. O medo de que houvesse se tornado uma bruxa velha, como seu pai certa vez a chamara, se dissipou. Quaisquer inseguranças que ela pudesse ter tido evaporaram. Mesmo sua profunda tristeza pela perda do Rei encontrou alívio quando ela viu e ouviu o Escravo no espelho — a alma, o próprio *rosto* de seu pai, que sempre a maltratara com palavras humilhantes e depreciativas — admitir que ela era bonita; que ela era a mais bela de todas.

A Rainha logo descobriu que, nos dias em que se esquecia de consultar o espelho, ela ficava irritadiça, amarga e ansiosa. Por qualquer coisinha impacientava-se com os criados, e mesmo com as pessoas mais próximas a ela, Verona e Branca. Sentia falta de ar, um aperto no peito. E ela sabia que a única maneira de curar esses males era ceder à sua obsessão e retornar ao espelho – ao rosto de seu pai, e ouvi-lo dizer que ela era graciosa. Que ela era linda. Que ela era a mais bela de todas.

E, assim, aquilo se tornou um ritual para a Rainha. Todos os dias ela consultava o Espelho Mágico, tragada e possuída por sua vaidade, ainda devastada pela morte de seu amado esposo. Ela usava a aprovação do pai para curar todos os seus febris pesadelos, o implacável temor da perda, de envelhecer, de ser de fato aquela coisa repugnante, a mulher terrivelmente feia que seu pai sempre lhe disse que ela era.

O espelho, por sua vez, sempre dissera a verdade para a Rainha. Que ela era a mais bela do reino. E, então, inesperadamente, deu uma resposta diferente à Rainha.

– Famosa é a sua beleza, Vossa Majestade, mas outra beldade que eu vejo...

Uma terrível fúria ferveu dentro da Rainha. Sentia-se transformada. Ela nunca tinha experimentado um sentimento como aquele antes. Era ao mesmo tempo terrível e absolutamente maravilhoso. Ela nunca conhecera tamanha inveja, nem nunca soubera que tal emoção pudesse provocar tanta raiva, talvez até mesmo ódio. E com aquele ódio, uma *força* inegável.

– Quem? Quem é ela? Fale, Escravo! – a Rainha rosnou.

– Dor e perda, minha Rainha, não diminuíram a beleza dela; seu rosto não está marcado pela tragédia. Nem é ela afligida por dor e sofrimento como você tão obviamente tem sido. Essa dama de companhia...

– Dama de companhia? – disse a Rainha com agressividade.

– Eu não posso negar que você é linda, minha Rainha. Mas eu também não posso mentir. Você é ofuscada por Verona. Ela é a única mulher em todo o reino que a supera em beleza.

– Como eu ansiava pelo seu amor quando era pequena, como eu teria me desenvolvido bem se você houvesse me mostrado ao menos um pouquinho de aprovação! E agora você usa isso para destruir a mim e a mulher mais importante para mim, a única família que me restou? Não, eu não acredito em você. Eu não acredito nem mesmo que isso está acontecendo de verdade. Eu devo estar sonhando ou sob algum feitiço, tenho certeza de que vou acordar e descobrir que tudo isso não passou de um sonho horrível conjurado pelo meu sofrimento e dor! – bradou a Rainha.

– Você seria mais feliz sem mim, então, minha Rainha? Foi o seu chamado que me trouxe aqui, para começo de conversa; mas se a minha presença aqui lhe causa dor, eu alegremente parto, até que você volte a me chamar – o Escravo disse a ela. E a imagem de seu pai desapareceu do espelho.

Justo nesse momento, Verona entrou no quarto segurando Branca pela mão e resplandecendo de satisfação. Verona estava muito bela e adorável. E, pela primeira vez em sua vida, a Rainha a odiou por isso.

– Peço desculpa por incomodá-la, Vossa Majestade – disse Verona. – Mas a festa em comemoração pelo aniversário de um mês desde o seu retorno para nós está prestes a começar, e pensamos que poderíamos acompanhá-la até o salão principal, onde todos estão esperando para recebê-la.

– Sim, claro; obrigada, Verona – disse a Rainha. Mas, de repente, ela já não sentia nem um pouco do amor fraternal que sempre tivera por Verona.

– Então, vamos? – perguntou Verona, sentindo-se cada vez mais sem jeito sob o olhar fixo da Rainha.

– Não até eu dar um beijo na minha querida e linda filha, Branca. Como você está hoje, minha adorável criaturinha?

– Feliz por ver você, mamãe. Eu senti tanta falta sua enquanto você estava doente, e estou tão feliz que você esteja bem já há algum tempo.

– Eu também senti falta de você, meu passarinho. Sinto muito não ter visto você com tanta frequência, como eu deveria ter feito enquanto estive doente.

– Estou feliz em vê-la agora, mamãe. Você está muito bonita hoje, e Verona também. Você não acha, mamãe?

– Sim, ela está muito bonita – a Rainha disse sem nenhum entusiasmo. – Muito bem, então: vamos descer e desfrutar o dia de hoje da forma como foi planejado.

E as três beldades seguiram rumo ao salão principal. Seria só imaginação da Rainha ou Verona foi o alvo de muitos olhares quando elas ali chegaram? A Rainha tentou banir todos os pensamentos sobre o que o Escravo havia dito sobre Verona. Mas era impossível se distrair de suas palavras. E, como naquela noite, nos dias que se seguiram o Escravo no espelho sempre respondia da mesma maneira.

Verona era a mais bela de todas.

A Rainha sentia-se dividida entre seu amor por aquela mulher que tinha sido como uma irmã para ela, e seu – seria isso também *amor*? – pai. Não, era algo mais terrível do que o amor. Sua aprovação era uma obsessão e um vício. E Verona, simplesmente por estar na corte, estava impedindo a Rainha de receber a afirmação diária de seu pai, de que ela tanto precisava.

E por que ela precisava tanto da aprovação de seu pai? Não seria revelador do caráter do pai o fato de voltar a achá-la a mais bela se agisse com base na inveja? E o que isso revelaria sobre o *próprio* caráter da Rainha?

Então, a Rainha disse a si mesma que não fora sua vaidade a motivação para finalmente decidir enviar Verona a um reino vizinho em uma missão diplomática. Não, fora apenas pela paz de espírito da Rainha, e no interesse de preservar a amizade entre as duas.

Para Verona, a despedida foi chorosa. Branca também não podia conter sua tristeza. Afinal, a criança já tinha perdido tanto... E, agora, a mulher mais próxima a ela depois de sua madrasta também estava partindo. A Rainha permaneceu inflexível, gelada, impassível. E mal a carruagem de Verona se afastou, a Rainha chicoteou sua capa no ar com uma reviravolta e voltou para o seu quarto e o Espelho Mágico.

A Rainha bateu a porta e caminhou em direção ao espelho. Hesitou. E se aquilo não funcionasse? E se Verona fosse apenas a primeira de muitas mulheres no reino mais belas do que ela? A Rainha finalmente reuniu coragem e mais uma vez chamou o Escravo no espelho. Ela ponderou sobre quais eram suas reais motivações. Quando as chamas começaram a aparecer no espelho, parte dela esperava que o Escravo não se manifestasse. Ela realmente não sabia que cenário apaziguaria a sua mente: encontrá-lo ali ou não.

E, então, o Escravo apareceu em seu redemoinho de névoa púrpura.

– O que você gostaria de saber, minha Rainha?

– Espelho, espelho meu, existe alguém mais bela do que eu?

– Você, minha Rainha, é a mais bela de todas, agora que Verona partiu para terras distantes.

A Rainha sentiu toda a tensão esvair-se de seu corpo e todos os músculos relaxarem. Ela respirou fundo e suspirou. Mas algo dentro dela ainda a inquietava. O que ela estava se tornando? Como era possível que sacrificasse a companhia de sua amiga mais querida ao escolher entre ela e a supremacia de sua própria beleza?

– Escravo, eu tenho outra pergunta para você – disse ela.

– Estou condenado a dizer sempre a verdade, minha Rainha.

– Talvez eu seja a mais bela de todas. Mas como posso voltar a ser feliz?

– A felicidade é a beleza, e a beleza é felicidade. Beleza traz alegria seja ela possuída por homem, mulher, menina ou menino.

– Como eu gostaria que isso fosse verdade – disse a Rainha.

CAPÍTULO XIV

INOCÊNCIA ENCANTADA

Após a partida de Verona, não se passava um só dia sem que a Rainha sucumbisse à compulsão de consultar o Espelho Mágico. Ouvir o pai lhe dizer como ela era bonita ajudava-a a elevar seu ânimo. Mas ela se sentia mais sozinha do que nunca.

Talvez fosse a perda do esposo e sua solidão que a levassem a procurar o espelho todos os dias, mas ela sentia que havia algo mais que a compelia a buscar a aprovação e o amor do pai. Às vezes, ela sentia que precisava se olhar no espelho simplesmente para tranquilizar a si mesma de que estava no mundo. Que ela era um ser humano e não apenas uma névoa cinzenta e flutuante assombrando as muralhas do castelo. Sentia-se real e viva quando se olhava no espelho; sentia-se poderosa com sua beleza.

Não, não apenas poderosa, mas invencível.

A vida da Rainha tornou-se uma rotina monótona. Todos os dias, depois que consultava o Espelho Mágico, ela retirava-se para o seu calabouço. Não passou muito tempo depois da partida das irmãs até que a Rainha fosse lembrada do segundo presente do qual elas haviam falado durante a última visita. Ela tinha se tornado tão obcecada com o espelho que praticamente não pensava em outra coisa. Mas, meses depois, chegou um lacônico bilhete das três irmãs, no qual se lia apenas:

Como você está se saindo com nossos presentes?

O bilhete lembrou a Rainha que as irmãs haviam deixado algo para ela no calabouço. Talvez fosse algo que pudesse distraí-la do espelho. Ou talvez fosse algo que possuísse um poder semelhante e acentuasse ainda mais as suas habilidades mágicas.

No calabouço, a Rainha encontrou um velho e desgastado baú. Abriu-o e morcegos voaram para fora dele, e ela rapidamente levantou a capa para proteger-se daqueles monstrinhos alados. Então, ela descobriu os presentes: livros de feitiços e encantamentos; frascos de coisas estranhas: pó de múmia, olhos de sapo, remelas; provetas, almofarizes e pilões. E um caldeirão. A Rainha rapidamente se tornou muito interessada nos livros, e logo aprendeu a usá-los em conjunto com as coisas estranhas que as irmãs haviam deixado para ela.

Seus primeiros encantamentos foram desajeitados e não funcionaram muito bem, isto é, quando eles chegavam a funcionar. Logo no início, ela tentou um feitiço para tornar seus cabelos, já negros, mais escuros do que as penas de um corvo. Mas, em vez de deixar seus cabelos com a cor das asas da ave, o feitiço deu-lhes também a mesma textura, e a Rainha passou dias tentando esconder da corte a cabeça coberta de penas até ela descobrir uma maneira de reverter o feitiço. Em outra ocasião, ela inadvertidamente tingiu suas mãos de verde e cobriu-as de verrugas. E teve também a vez em que ela tentou fazer uma poção que tornaria sua voz a mais suave de todas no reino, e o resultado foi que ela passou a coaxar como um sapo. E, ao tentar criar um antídoto, primeiro ela cantou como um pássaro e depois sibilou como uma serpente, antes que finalmente recuperasse a própria voz.

O que os cidadãos do reino encararam como sendo apenas mais um dos períodos de reclusão por tristeza da Rainha passaram a durar semanas, depois meses e, logo, anos inteiros de retiro – passados em sua alcova, quarto, calabouço e saleta íntima – para praticar as artes místicas.

Além de seus aposentos e do calabouço, ela passava uma grande parte de seu tempo nos parapeitos, supervisionando o reino. Talvez à procura de alguém – *qualquer coisa* que pudesse ameaçar a sua beleza.

Causava um pouco de estranheza à Rainha o fato de ela ter se tornado tão fechada, tão fria. Mas ela argumentava consigo mesma que era compreensível; não queria experimentar novamente a dor que sofrera quando perdeu o marido. Nunca mais. E não era como se estivesse perdendo qualquer coisa. Com sua beleza, ela tinha algo que fazia com que as pessoas a amassem e admirassem, talvez até mesmo *temessem*. E tinha a intenção de mantê-la por todos os meios à sua disposição.

Imaginava seu coração como um espelho partido, os cacos tilintando em seu interior, um pensamento que a fazia sentir-se totalmente desprovida de sentimentos. Ela tinha se tornado distante daqueles que um dia amara. Até mesmo sua filha, Branca de Neve, era mantida à distância, pois a Rainha temia partir seu coração de vez se alguma coisa acontecesse, algo que pudesse arrancar Branca de seu mundo. Ela não tinha coragem de passar mais do que alguns instantes na companhia da garota, pois, a cada ano que passava, a beleza de Branca aumentava, e a Rainha começou a sentir algo pela menina que não era amor. Algo terrível. Mas ela não podia pensar nisso.

Certa manhã, anos após a morte do Rei, alguém bateu na porta da Rainha. Era Tilley, dama de companhia da Rainha desde que Verona fora mandada para longe da corte fazia já muito tempo. Tilley tinha um jeito meigo e calmo de falar, e isso, justamente o que Branca adorava naquela moça, era detestado pela Rainha, que via isso como evidência de uma natureza fraca.

– Minha Rainha, onde você gostaria de tomar o seu café da manhã? – perguntou Tilley.

A Rainha pareceu irritar-se e Tilley estremeceu em antecipação.

– No salão principal, claro, garota estúpida. Tenho feito todas as minhas refeições lá desde que você está aqui.

Tilley ficou consternada.

– O que foi agora, Tilley? Desembuche! – a Rainha berrou para ela.

– É só que Branca de Neve comentou que gostaria de tomar café da manhã na saleta íntima. Ela achou que seria uma boa mudança.

A Rainha deu um sorriso de desdém e perguntou para a pobre moça:

– Branca de Neve por acaso é rainha destas terras?

Tilley parecia nervosa:

– Não, minha Rainha. Você é que é, claro.

A Rainha continuou:

– Então, por favor, mande servirem o meu café da manhã no salão principal e diga a Branca de Neve que eu a aguardo para fazer a refeição comigo.

– Sim, minha Rainha. Vou providenciar para que as criadas preparem o seu banho agora.

– Isso é tudo, Tilley, obrigada.

A Rainha perguntou como poderia viver cercada de mulheres tão cabeças-ocas. Com certeza ela não tinha sido tão insolente quando jovem. Café da manhã na saleta íntima, era só o que faltava!

A Rainha saiu da cama, abriu as cortinas e olhou para o pátio. Branca estava sentada na borda do poço – no poço *da Rainha* –, alimentando os azulões. Ela havia se tornado uma bela jovem. Branca não pareceu notar, mas um jovem bonito estava passando a cavalo por ali e parou para que pudesse olhar para ela. Parecia encantado por sua beleza. Na verdade, parecia que estava se apaixonando ali mesmo. A Rainha fechou as cortinas com um puxão firme e foi para o espelho.

– Espelho, espelho meu, existe alguém mais bela do que eu?

– Não, minha Rainha, você é a mais bela de todas.

A Rainha sorriu, mas seu peito por dentro estava gelado. Alguma coisa sobre aquele jovem se aproximando de Branca de Neve a perturbara. Seria inveja? Fora isso que obrigara a Rainha a correr para o espelho? Estaria ela se ressentindo de Branca por sua beleza? Sua juventude? Ou era algo mais benevolente? Estava protegendo Branca do amor? Afinal, vejam só o que o amor havia feito com a Rainha...

A soberana dirigiu-se para o salão principal. Ela acabara amando aquele espaço justamente pelas mesmas razões que a fizeram sentir-se desconfortável nos primeiros tempos, logo que chegara ao castelo: era cavernoso e imponente. *Sentia-se* como uma rainha ali, e era de seu imenso agrado sentar-se majestosamente no trono, enquanto os vitrais das janelas arqueadas lançavam uma adorável luz azul no gigantesco salão. Branca estava sentada à direita da cabeceira da mesa, parecendo pura, inocente e bonita.

A Rainha encaminhou-se para o seu assento e ficou encarando Branca, que já estava sentada. Ela lançou à garota um olhar severo e acenou com a cabeça, indicando que Branca deveria ficar de pé para cumprimentar sua mãe.

Branca hesitou, e então se levantou:

– Bom dia, mamãe.

– Bom dia, Branca.

A Rainha tomou o seu lugar e fez um gesto para Branca fazer o mesmo.

– Então, eu ouvi dizer que você preferiria tomar o seu café da manhã na saleta íntima? – ela disse.

– Sim, eu achei que seria uma mudança agradável; este salão é tão grande só para nós duas. Eu me lembro de que, quando eu era pequena, nossas refeições em família eram feitas ou na sala de jantar pequena ou na saleta ínt...

– Já chega! – a Rainha cortou-a.

Mas, interiormente, a Rainha recordou como eram felizes aqueles dias. Ela não tinha coragem de jantar em nenhum dos dois cômodos agora. Doía-lhe muito sem a presença do marido. E Branca, agora crescida... A inocente menininha se transformando numa bela mulher. A Rainha olhou para a beldade de pedra acima da cornija da lareira. Ela parecia olhá-la com ar severo e de desa-provação, como se estivesse lendo os pensamentos da Rainha.

– Eu prefiro este salão, Branca. Já falamos sobre isso antes. Se você prefere fazer suas refeições na saleta íntima, vá em frente, fique à vontade; não me importa onde você vá tomar o seu café da manhã. Mas eu não irei me juntar a você.

Branca pareceu desapontada.

– Eu nunca mais iria vê-la, se nós tomássemos café da manhã em salas diferentes – observou ela.

– De fato.

Branca apenas sacudiu a cabeça.

– Estou ficando cansada dessa sua atitude, Branca de Neve. Não vou admitir que você me lance esses olhares. Eu disse que você pode fazer as suas refeições onde desejar. O que mais você quer de mim?

Branca de Neve olhou para a mãe com olhos tristes.

– Nada, mãe. Não importa.

– Muito bem, então, há algo que estou para falar com você faz algum tempo; acho que já é hora de você assumir responsabilidades. Você não possui quaisquer talentos notáveis e, como parece que não tem nenhum pretendente, podemos presumir que você não vai se casar.

Branca parecia perplexa.

– Eu disse para Tilley providenciar umas roupas de trabalho para você, de modo que você possa ajudá-la com algumas das tarefas do castelo. Eu acho que vai lhe fazer bem.

– Eu não me importo de ajudar Tilley. Costumo mesmo fazê-lo – disse Branca.

A Rainha continuou:

– Mas não vou deixar você arruinar seus trajes elegantes. Você deve vestir algo mais apropriado para as tarefas domésticas.

– Claro, mãe.

– Vá falar com Tilley, ela vai vesti-la com roupas velhas, que serão adequadas ao tipo de trabalho que esperamos de você.

Branca se levantou e deixou o salão principal apressada. A Rainha soltou um profundo suspiro. Ela lembrou-se de si mesma prestes a se tornar uma mulher adulta, e de algo que a Babá tinha dito a ela então:

Não acredite nas mentiras de seu pai, minha menina. Ele não enxerga você como você é, e eu temo por sua alma caso você venha a permitir que essa negatividade dele permaneça em seu coração. Você é linda, minha querida, verdadeiramente linda. Nunca se esqueça disso, mesmo que eu não esteja mais aqui para lembrá-la.

Ela sempre fora bonita e agora seu pai, cujo espírito havia sido capturado dentro do espelho, era obrigado a dizer a verdade. A Rainha sentia um imenso poder nisso. Ela se levantou da mesa, passou pela porta em arco e, em seguida, prosseguiu pelo corredor e parou diante do reposteiro com a imagem de uma grande macieira florida cheia de corvos. Lembrou-se da história que ela havia contado para Branca, tantos anos antes, sobre a mulher que podia se transformar em um dragão. Ela agora se sentia muito parecida com a mulher da história, isolada e sozinha, tão diferente de qualquer pessoa que ela conhecia. Ela moveu a tapeçaria para o lado e revelou uma passagem que levava ao calabouço.

Enquanto a Rainha ia descendo os degraus, arrastava a mão sobre as paredes de pedra. Pareciam frias e duras ao seu toque, e ela gostava disso. Abriu as janelas para arejar o lugar e viu um grande corvo negro pousado no parapeito.

Ela já não passava tanto tempo no calabouço como costumava fazer a partir do momento em que descobriu os livros e as poções, quando tudo era novo. Mas ela ainda passava muitas de suas tardes e noites ali. Com o tempo, se tornou mais familiarizada com os livros das irmãs e os feitiços que continham. Muitos deles a mantinham com a aparência jovem e bela. Mas, ultimamente, ela vinha experimentando alguns outros tipos de magias. Ela tinha beleza e poder. Mas ela queria mais.

Os livros e feitiços lhe pareceram intimidantes e estranhos no início, logo que se interessou por eles. Mas agora suas capas de couro empoeiradas, algumas com caveiras de prata em relevo, outras deixando bem claro logo de cara que tipo de magia era detalhada em seu interior, pareciam-lhe menos sinistras e mais belas.

Ela se lembrou de como os seus primeiros encantamentos haviam sido desajeitados. Agora, os livros eram tão familiares como velhos amigos.

– Corvos que planavam nos céus... coletando informações para que ela tivesse notícias do mundo exterior – disse a Rainha, recordando a história que ela contou para Branca naquela noite chuvosa, há muito tempo.

Um corvo pulou na janela como se houvesse sido convocado e fitou-a com seus olhos amarelos. Ela decidiu deixá-lo ficar e fazer companhia a ela enquanto lia os livros das irmãs.

Mas, então, uma voz chamou por ela lá de cima.

– Com licença? Minha Rainha, você está aí embaixo? É muito urgente!

A Rainha ficou com raiva de si mesma por um dia ter dito a Tilley onde passava suas tardes. É verdade que a câmara em que estava era remota, mas isso não era garantia de que um visitante intrometido não acabasse encontrando o seu laboratório. Ela mandaria imediatamente um dos operários instalar uma porta mais resistente, com uma tranca mais forte para vedar a câmara do calabouço.

– Sim, Tilley, eu subirei num instante.

A Rainha deu um tapinha na cabeça do corvo e, em seguida, subiu as escadas para ver o que era toda aquela confusão.

Tilley parecia extraordinariamente angustiada.

– O que está acontecendo? – perguntou a Rainha.

Tilley só ficou ali parada, trêmula, incapaz de falar.

– Desembuche, garota!

A criada finalmente conseguiu falar.

– É a Branca de Neve, ela estava me ajudando a tirar água do poço e de alguma forma ela... ela... caiu por sobre a borda!

A Rainha saiu correndo pelo salão principal e pelo pátio, onde encontrou Branca deitada no chão, encharcada e inconsciente. Um jovem angustiado, o mesmo que a Rainha havia visto andando a cavalo ali por perto, estava debruçado sobre o corpo dela. Agora que ela o via de perto, reconheceu-o como o jovem príncipe de um reino vizinho.

A Rainha voltou sua atenção para a silhueta inerte de sua filha e seu coração parou. Primeiro a sua mãe, depois o seu marido, e agora sua filha... *morta*. A Rainha estava paralisada de medo e pesar. Mas, logo em seguida, Branca começou a tossir. Água escorreu de seus lábios vermelhos como rubi, e ela piscou os olhos e os abriu.

– Graças aos Céus! – a Rainha disse, apertando as mãos contra o peito e abraçando a garota.

O Príncipe parecia muito aliviado. Ele colocou a mão no rosto de Branca com ternura e disse:

– Graças a Deus você está viva.

Branca olhou para ele com os mesmos olhos de seu pai, cheios de *bondade*, e disse:

– Obrigada.

Ela estava visivelmente encantada por aquele jovem.

A Rainha interveio e disse:

– Obrigada, meu jovem, mas eu assumo daqui.

– Claro, minha senhora... Eu poderia passar por aqui novamente, amanhã à tarde, para ver como a bela donzela está passando?

A Rainha percebeu que o rapaz estava se apaixonando por Branca.

– Talvez, se ela estiver disposta. Tilley terá prazer de acompanhá-lo à extremidade traseira do pátio se você quiser se refrescar antes de partir. Obrigada por sua ajuda.

Então, a Rainha agarrou Branca pelo braço e levou-a para dentro do castelo a toda pressa.

CAPÍTULO XV

UM REGRESSO

Passaram-se meses desde o acidente de Branca de Neve no poço e, durante esse tempo todo, o jovem príncipe que a tinha salvado havia vindo visitá-la várias vezes. Naquela manhã no jardim, enquanto Branca estava ajudando Tilley, o Príncipe pediu uma audiência com a Rainha. A Rainha sabia que ele iria pedir a mão de Branca em casamento. Antes mesmo que ele pudesse abrir a boca para fazer o pedido, a Rainha fez questão de deixar bem claro que ele não deveria mais voltar ao castelo. Para isso, tratou de ir logo tirando qualquer esperança do rapaz:

— Estive tentando poupar seus sentimentos, meu jovem, mas você me coloca em uma situação muito desconfortável, e receio que não tenha outra saída a não ser a franqueza. Branca de Neve não o ama, e eu não posso deixar a minha filha se casar com alguém que ela não ama — disse ela.

O Príncipe ficou cabisbaixo.

– Posso ver que você pensava o contrário. Sinto muito, querido Príncipe. Talvez ela também estivesse poupando os seus sentimentos; mas, na verdade, ela deveria ter sido honesta com você – observou a Rainha.

O Príncipe foi embora sem dizer mais nada. A Rainha diria para Branca de Neve que o Príncipe havia deixado um bilhete dizendo que não a amava e que queria terminar o namoro antes que Branca pensasse que os sentimentos dele em relação a ela fossem mais profundos do que realmente eram. Ela tinha feito a coisa certa, mesmo que isso significasse mentir para ambos. Mesmo que aquilo magoasse os dois agora, não seria nada se comparado a perder um ao outro numa tragédia, traição, ou morte. Mas ela não podia evitar de se sentir perversa também. E isso tanto a aterrorizava quanto a confortava.

Em algum lugar em seu coração, ela sabia que suas motivações também haviam sido alimentadas por ciúme. Estava com inveja que Branca tivesse alguém para amá-la e ela não. Como ela poderia ficar ali assistindo-os trocar juras de amor quando o amor de sua vida lhe fora arrancado?

E o que o Rei pensaria de sua Rainha agora? Às vezes, ela imaginava que ele estava olhando para ela de onde quer que estivesse, julgando-a pelos maus caminhos pelos quais enveredara. Ela sentia que algo mais dentro dela estava assumindo o controle, e que ela já não tinha capacidade de comandar suas próprias ações.

Mas não, Branca de Neve iria agradecê-la um dia por tê-la poupado de se magoar. Ela iria entender.

A Rainha correu para o seu quarto e foi novamente até o espelho. Ela precisava de consolo e o recebeu. Como de costume, ela era a mais bela.

Mas, quando a Rainha olhou-se no espelho, não parecia ser a mesma mulher. Sim, ela era bonita, mas havia algo diferente em seus olhos. Havia uma dureza em sua beleza, que era fria e distante. Ela achou que isso acrescentava um ar de elegância e majestade ao seu comportamento, algo que uma Rainha devia possuir. Mas isso não abafava seu receio de estar se perdendo na tristeza, no medo e, acima de tudo, na vaidade.

Seu único conforto parecia ser seu Escravo, seu pai, em quem sua confiança fora crescendo em seus anos de solidão. Ela perguntou-lhe:

– Eu pareço muito mudada para você?

– Na verdade, minha Rainha, sim – respondeu ele.

– Como assim?

– Você está imponente, majestosa e elegante.

– Eu pareço fria para você? – Quis saber a Rainha.

– Não, minha Rainha, você não é fria, você simplesmente amadureceu numa mulher distinta e eminente. Você é a Rainha e não pode ser incomodada com assuntos do coração.

Assuntos do coração… Pareceu-lhe que não fazia muito tempo que ela se deixava levar pelo coração. Mas agora que governava um reino todo sozinha, parecia que quase já nem tinha mais coração. Como se seus pensamentos estivessem abertos para ele, o homem no espelho continuou:

– Uma mulher de sua importância não pode ser governada por suas emoções, para que não seja incapaz de lidar com suas tarefas e deveres.

E depois de tais conselhos, ela saiu do quarto para fazer frente às suas obrigações do dia.

Mas ela logo foi confrontada com algo que não esperava.

Tilley caminhava apressada por um corredor.

– Minha Rainha – gritou ela, sorridente. – Uma comitiva está chegando!

– Eu não estava esperando ninguém. Peça-lhes para irem embora – a Rainha disse amargamente.

Mas antes que Tilley pudesse transmitir sua ordem, alguém tinha adentrado o salão.

– Faz muito tempo desde que a vi pela última vez, Majestade. Senti muita saudade de você todos esses longos anos.

A Rainha sentiu uma torrente de emoção: Verona! Ela rapidamente conferiu sua imagem em um espelho do salão para afastar qualquer receio de que não estivesse com boa aparência. A Rainha sentiu o seu pobre coração partido disparar de alegria, para logo em seguida ficar deprimida. Ela não sabia o que fazer com aquela visita.

Verona havia se apaixonado durante sua missão no estrangeiro e casara-se com um lorde.

A Rainha sentiu aquela emoção que agora tinha se tornado familiar para ela: uma mistura de alegria e inveja de sua amiga.

As duas haviam sido tão próximas um dia que agora a Rainha se perguntava como tinha conseguido passar tantos anos sem a companhia e a amizade de Verona. Tal pensamento a perturbou, mas ela enterrou-o profundamente dentro de si mesma, decidida a não deixar que o amor que sentia pela amiga enfraquecesse seu senso de força.

Apesar do alívio que experimentou por ter afastado Verona do reino, ela havia sentido muita falta dela, especialmente durante os primeiros meses após a sua partida. Sentia-se fria e horrível quando pensava nisso, enviar sua amiga mais querida para fora do reino por uma questão de vaidade e egoísmo. Ver Verona novamente no castelo despertou algo na Rainha, algo humano e caloroso. Sim, ela estava feliz por ter a amiga de volta, em sua companhia.

A Rainha organizou uma noite esplêndida apenas para elas duas no salão principal. O lugar estava resplandecente com velas, e a mesa, repleta de saborosos pratos que ela sabia serem os favoritos de Verona. A refeição foi maravilhosa, mas a conversa, um pouco estranha. O que se conversa com uma velha amiga depois de repassarem todas as reminiscências?

Após a refeição, as duas senhoras se retiraram para a sala de estar, onde desfrutaram de excelentes licores, o que ajudou a conversa fluir.

— Eu me arrependo de tê-la mandado embora, Verona — a Rainha disse, embora na verdade apenas uma parte sua houvesse realmente se arrependido. — Se eu tivesse a oportunidade de tomar a decisão novamente, não acredito que a mandaria para fora desta corte.

— Ah, mas então eu nunca teria conhecido o meu lorde. Sou grata a você, Majestade. Você trouxe imensa felicidade à minha vida, e eu agradeço por isso — confessou-lhe Verona.

– Você o ama, então, esse seu marido? – perguntou a Rainha.

– Sim, é claro, por que você me faz tal pergunta? – estranhou Verona.

– Estou apenas cuidando de seu coração, minha cara amiga, só isso. Muito me desgostaria vê-la magoada com a perda dele. Ele está fora, no campo de batalha, não é? Você deve se preparar para a morte dele.

– Não, não devo! O que a leva a me dizer uma coisa dessas? – disse Verona, levantando-se de sua confortável poltrona.

– Porque a vida é assim, minha querida Verona. Faz parte de nosso fardo perder as pessoas que amamos e sentir nossos corações despedaçados com a perda. Eu gostaria de poder protegê-la disso se pudesse, minha amiga, mas não havia nada que alguém pudesse ter me dito na ocasião para me preparar para o abismo de desespero em que minha alma mergulhou quando o Rei foi arrancado de minha vida.

Os olhos de Verona estavam cheios de tristeza.

– Lembro-me bem desse dia, minha Rainha, e entendo bem o que me diz; mas eu não posso viver com medo de perdê-lo, isso me impediria simplesmente de viver. Posso falar francamente com você, Majestade?

– Sim, por favor, sinta-se livre para falar abertamente como você sempre falou, Verona. Você é uma velha amiga e tem seus privilégios – respondeu a Rainha, seca.

– Você parece muito mudada para mim, Majestade. Está mais bonita do que nunca, mas algo dentro de você mudou. Temo por sua infelicidade e solidão. – Verona continuou: – Branca de Neve tem me escrito várias vezes, expressando preocupação com você. Ela está apreensiva por você ter se fechado para ela. Ela a ama tanto, Majestade, e parte o meu coração ver vocês duas tão sozinhas em sua dor quando têm uma à outra para buscar consolo e força.

— Branca sabe como é querida para mim, Verona. Eu morreria sem ela — disse a Rainha.

— Por que, então, você nunca procura a sua companhia? Branca é uma jovem notável, Majestade. Mesmo agora, depois de tantos anos de quase abandono, ela ainda seria uma grande amiga para você, se você apenas lhe estendesse a mão — Verona implorou.

— Como você se atreve a insinuar que eu abandonei a minha filha? — a Rainha retrucou.

— Perdoe-me, Vossa Majestade, eu pensei que poderia falar francamente com você.

— Eu disse, mas ouvir isso me magoa, Verona. Você não sabe o que é passar pelo que eu passei na esteira da tragédia, e espero que nunca saiba!

Verona sacudiu a cabeça.

— Por favor, minha Rainha e *amiga*. Por favor, aproxime-se de sua filha, ela não ficará muito mais tempo nesta corte, já que está se aproximando da idade adequada de se casar, e eu não gostaria de vê-la partir deste reino sem conhecer o amor de sua mãe.

O amor de sua mãe. As palavras calaram fundo na Rainha. Ela havia trocado a companhia de Branca de Neve por espelhos mágicos e livros de magia das irmãs esquisitas. Estava tão enlouquecida, tão perturbada pela perda de seu marido, que teve muito medo de amar a filha por pavor de perdê-la? Isso era loucura, com certeza!

E foi preciso que Verona lhe dissesse isso para fazê-la enxergar a verdade claramente, pela primeira vez? Ela nunca deveria ter mandado para longe da corte sua amiga, aquela mulher que um dia chamara de irmã; ficar tanto tempo sem o seu companheirismo, sem os seus conselhos e sem o seu amor... Talvez muita coisa poderia ter sido evitada se Verona estivesse ao seu lado nesses longos anos.

Então, a Rainha sentiu no peito algo que há muito não sentia. Seu coração despedaçado pareceu-lhe, de repente, remendado.

— Eu ficaria muito contente se você prolongasse a sua estada, Verona. Por favor, diga que você vai ficar aqui pelo tempo que durar a campanha de seu marido. Tendo sido privada de sua companhia por tanto tempo, eu não gostaria de vê-la afastar-se outra vez assim tão rapidamente.

— Sim, claro, Majestade, eu ficaria muito feliz em permanecer na corte com você e Branca de Neve.

— Obrigada, Verona. Vamos fazer um piquenique na floresta amanhã, como nos velhos tempos, nós três?

— Isso seria ótimo, Vossa Majestade. Tenho certeza de que fará Branca muito feliz também.

— Muito bem, então — respondeu a Rainha. — Vamos deixar aquela pateta da Tilley para trás. Nunca em toda minha vida me deparei com tanta incompetência.

A Rainha riu, e Verona riu junto. Mas já não era um riso de camaradagem. O riso da Rainha era de poder e desdém, e o de Verona, era de desconforto.

Naquela noite, enquanto a Rainha estava sozinha em seu quarto, ela começou a se sentir inquieta. Ela já havia consultado o Escravo pela manhã. Mas isso fora antes de Verona ter retornado.

Ela precisava chamá-lo novamente.

Precisava saber.

Aos tropeços pela sala escura, aproximou-se do Espelho Mágico e convocou o Escravo. Então ela fez a pergunta de sempre.

— Eu não posso determinar quem é a mais bela de todas com Verona na corte, minha Rainha — o Escravo respondeu. — Suas belezas praticamente se equivalem. Características dela quase superam as suas. Enquanto características suas quase eclipsam as dela.

A Rainha lutou contra o impulso de banir Verona, até mesmo de *matá-la*. O desejo era poderoso, mas a Rainha encontrou uma antiga força dentro dela, forjada em torno da amizade e do amor, que lhe permitiu lutar.

Ela arrancou as cortinas das janelas do quarto e embrulhou o espelho com elas. Em seguida, mandou chamar o bom amigo do Tio Marcus, o Caçador. Ele era talvez o homem mais forte da corte e poderia executar com facilidade a tarefa que pretendia lhe confiar. Ele chegou rápido e a Rainha empurrou o espelho em direção a ele.

— Leve isso com você e enterre-o nas profundezas da floresta. Não deixe nenhum vestígio de seu paradeiro, e nunca, não importa o quanto eu lhe implorar, *jamais* me diga onde você o enterrou... Esta parte é de suma importância: jamais me diga onde você o enterrou! Você me entendeu?

– Sim, minha Rainha – o Caçador confirmou.

– E não conte a absolutamente ninguém sobre essa conversa nem onde você o escondeu, e faça o que fizer, não procure saber o que está embrulhado nesses panos. Eu vou ficar sabendo se você me enganar de alguma forma.

– Eu nunca iria enganá-la, minha Rainha. Nunca. Tudo que desejo é agradá-la – disse o Caçador, curvando-se.

A Rainha ficou observando de sua janela enquanto o Caçador partia em uma carruagem puxada por dois cavalos, com o Espelho Mágico embrulhado e amarrado na parte traseira. O Caçador desapareceu na floresta, levando com ele a única coisa que tinha dado forças à Rainha desde a sua maior perda, mas que também havia se tornado a sua maior fraqueza.

Capítulo XVI

Tormento

Ter Verona na corte deveria ter sido um grande consolo para a Rainha, mas ela não conseguia tirar da cabeça o Espelho Mágico ou sua localização, e isso a deixava particularmente incomodada e facilmente irritável.

Era uma bobagem ela se deixar desgastar daquela forma. Na certa, se perguntasse ao Caçador, ele teria pouca escolha senão seguir suas ordens. Talvez, depois de um pouco de persuasão, ele revelasse a localização do objeto. Mas ela sujeitaria a si mesma àquele tormento, saber que ela era muito fraca de espírito para manter-se longe do espelho? E ela iria querer também que o Caçador tivesse ciência dessa fraqueza?

Os dias que se seguiram foram de pura agonia. A Rainha estava tão envolvida com sua necessidade do Espelho Mágico que era assombrada até mesmo em seus sonhos, o que a deixava sem dormir direito e doente. Cada dia que passava afastada do espelho parecia adoecer mais. A tal ponto que muitas vezes ela se sentia à beira da morte.

Não era raro acordar aterrorizada por um sonho que dominava seu sono leve e inquieto...

No sonho, ela estava na floresta, procurando freneticamente pelo espelho. As copas das árvores obscureciam o céu, deixando-a sozinha na escuridão e com medo. As irmãs estavam lá, também – aparecendo e sumindo, e mudando de forma, da maneira como as coisas acontecem nos sonhos. A Rainha topava com um monte de terra revirado recentemente e começava a cavar com as mãos nuas. Desesperada para encontrar o espelho, ela cavava pelo que parecia uma eternidade, suas mãos sangrando, seu corpo debilitado e sua mente fora de controle. Por fim, ela sentia algo macio e molhado coberto por um tecido. Depois de desenrolá-lo, encontrava ali, no pano, um coração, o sangue derramando-se aos borbotões em suas mãos. "Mamãe?", ela ouvia. Era Branca, novamente apenas uma menininha, ali parada com um terrível olhar de tristeza em seu rostinho, seu vestido branco coberto de sangue, escorrendo de onde antes estivera o seu coração. Seu rosto lívido; os olhos vazios e enegrecidos, sua pele acinzentada e uma expressão de reprovação. As irmãs sempre por ali, fazendo ecoar sua risada sinistra. A Rainha queria gritar, mas nenhum som lhe saía da garganta, de tão paralisada pelo medo que estava.

Toda manhã ela despertava ensopada de suor, angustiada por causa daquele mesmo sonho, ou outro parecido. Ele a fazia estremecer da cabeça aos pés e sentir-se fraca. Ela não tinha controle sobre sua própria vontade.

Sentia-se derrotada.

Certa noite, ela sonhou com as irmãs. "Cave... ali!", elas gritavam na floresta, aparecendo e desaparecendo sob um céu nublado no meio da noite. "Cave... aqui... o... Espelho... Mágico... seu... Escravo", elas tagarelavam e gargalhavam, e a lua iluminava seus medonhos rostos de bonecas com um brilho azulado fantasmagórico.

Quando acordou na manhã seguinte a este sonho, encontrou alguma coisa embrulhada em um pano sujo de terra no chão, ao lado da cama. Suas mãos também estavam cobertas de terra e sua camisola, esfarrapada e cheia de lama.

Ela pensou que ainda devia estar sonhando. Ou teria ela ido mesmo até a floresta procurar pelo espelho enquanto dormia? Pela primeira vez em mais de uma semana, sentiu-se renovada, sua força voltando para ela, assim como o seu senso de identidade. Ela começou a desembrulhar o grande objeto e ali, encarando-a de volta, estava o seu reflexo. Ela se atirou sobre o espelho e abraçou-o como a um amor perdido que regressara.

Algo dentro dela havia mudado. Verona estava certa. Ela não era a mesma mulher que havia se casado com o Rei há muitos anos; ela era algo totalmente diferente e isso a aterrorizava. Mas isso também lhe dava uma sensação de força e de poder. Ela nunca mais se afastaria do Espelho Mágico novamente. Sua vida, sua *alma*, pareciam depender dele. Ela acabou de rasgar o pano que cobria o espelho, revelando o rosto em meio ao turbilhão de névoa púrpura.

– Espelho, espelho meu, existe alguém mais bela do que eu?

– Sua beleza é incomparável, mas Verona é mais bela.

– Talvez, então – a Rainha disse, sorrindo maliciosamente –, seja hora de ela partir.

Capítulo XVII

Nova despedida

Na manhã seguinte, a Rainha estava tomando o café da manhã com Verona na saleta íntima quando o Caçador trouxe Branca de Neve. Ela parecia maltrapilha, seus trapos ainda mais sujos e rasgados do que o habitual, e seu rosto estava machucado.

– O que aconteceu? – a Rainha perguntou ao se levantar de sua cadeira, quase derrubando um bule de chá.

– Meu cavalo se assustou, eu não consegui controlá-lo – contou Branca.

O Caçador a interrompeu:

– Ela estava montando o Sinistro, minha Rainha, o novo garanhão. Eu a avisei que ele não era adequado para montar, mas ela o levou enquanto eu estava caçando.

A Rainha se enfureceu.

– Você poderia ter *morrido*, Branca! Onde você estava com a cabeça, cavalgando assim sozinha? – Branca não respondeu. – Você estava sozinha, não é?

Branca olhou para os seus sapatos.

– Você estava com *ele*? Mesmo depois de eu proibi-la *expressamente* de voltar a vê-lo?

Branca baixou a cabeça, em sinal de confissão.

– Vá agora, antes que eu lhe dê uma surra; não posso nem olhar para você! – bradou a Rainha.

Branca ficou onde estava.

– Ele me contou o que você falou, mãe! Você mentiu para ele, disse que eu não o amava. Como *pôde* fazer isso?

A Rainha deu um tapa em cheio no rosto de Branca.

Verona parecia horrorizada.

– Minha Rainha, por favor! – gritou Verona, implorando.

A Rainha virou a cabeça num ímpeto, como uma víbora irritada, e berrou para Verona:

– Cale-se!

Branca estava chorando, soluçando tanto que não conseguia nem falar. Verona aproximou-se dela e envolveu-a nos braços.

– Eu nem reconheço mais você – disse Verona amargamente à Rainha. – Você se tornou uma mulher má e fria, e não restou dentro de você nada da amiga que um dia eu amei.

– Então, você não terá problemas por eu banir você deste reino, *querida* Verona. Para sempre. E estou pensando em banir essa garota incorrigível junto a você. Mas há uma vida para ela aqui. Este castelo necessita de seus serviços. Os estábulos dos cavalos nunca estiveram tão limpos. Os alpendres nunca cheiraram tão bem – a Rainha caçoou, sarcástica.

– Majestade… – o Caçador começou a falar.

– Cale-se! Ou você sofrerá o mesmo destino – a Rainha rosnou para ele, cortando-o.

Branca enterrou o rosto no peito do Caçador e soluçou. Ele a conduziu para fora da saleta e Verona os seguiu logo atrás. Então, Verona pediu aos criados para recolher seus pertences, e depois de se despedir dos rostos familiares na corte que ela não via há muitos anos, ela deixou o castelo.

A Rainha assistiu à sua partida e, em seguida, retirou-se rapidamente para o seu quarto. Ela caminhou até o espelho, mas temia a resposta do Escravo. Ela não tinha coragem de perguntar a ele. Não poderia suportar ouvir que ela não era a mais bela, não naquela noite. Então, ela foi para a cama. E, na manhã seguinte, acordou sentindo-se renovada por uma onda de energia. Verona estava bem longe da corte. Agora ela tinha certeza de que o Escravo no espelho iria tranquilizá-la.

– Espelho, espelho meu, existe alguém mais bela do que eu?

– Você é a mais bela, minha Rainha…

A Rainha sentiu-se inquieta.

– Sinto uma hesitação em sua voz, Escravo. Diga o que é – ordenou a Rainha.

– Você é a mais bela, Majestade. Mas não me peça para avaliar o estado de seu coração.

A Rainha cuspiu no vidro espelhado; então, vestiu sua capa e saiu furiosa do quarto, enquanto o Escravo no Espelho Mágico desaparecia em uma nuvem de fumaça roxa.

Capítulo XVIII

Pesadelos febris

— *Mostre-me Branca de Neve!*

Branca de Neve estava correndo na floresta escura, tomada por medo e angústia. Estava em pânico, sozinha, e voltava para o castelo. Voltava para a madrasta, que certamente faria com que o Caçador fosse punido por tentar matá-la, por tecer uma rede de mentiras sobre a soberana ter planejado a morte de sua própria filha.

— Garota tola.

A floresta ganhou vida; era visceral e perigosa. Ela queria a vida de Branca de Neve. A ira da Rainha se infiltrara nas árvores, trazendo seus galhos desfolhados à vida. Como se fossem mãos, os galhos das árvores arranhavam e agarravam Branca, aprisionando-a, prendendo-a no chão. Eles se enroscaram em torno de seu pescoço, sufocando-a, perfurando o seu peito em direção ao coração. A floresta faria o que o Caçador não conseguiu. Com os olhos cheios de terror, Branca gritou:

— Mamãe, por favor, me ajude! — O coração da Rainha se derreteu naquele momento. As árvores soltaram Branca de Neve de suas garras.

A garota correu para dentro da floresta, onde as árvores obscureciam o céu por completo. Ela estava na mais completa escuridão, rodeada de olhos brilhantes que a olhavam ameaçadoramente. Estava sozinha e com medo, e ela corria, sem saber se o caminho a levaria para a segurança ou para a morte. A magia da Rainha não podia seguir Branca por onde ela enveredou, por isso, ela conseguiu escapar da floresta e se viu fora do campo de visão da Rainha.

A Rainha acordou sobressaltada. Sentia um frio enregelante e não desejava outra coisa que não o conforto e a quentura de sua cama. Ela permaneceu ali por dias, só encontrando um mínimo de energia para fazer sua visita diária ao Espelho Mágico, e uma caminhada ocasional até a janela para se certificar de que Branca de Neve estava limpando e esfregando alguma coisa no castelo, bem distante das vistas daquele Príncipe intrometido.

Mesmo de longe, ela percebeu como Branca havia se tornado bela. Não só na aparência externa, mas, como o pai, em seu puro coração. Não demoraria muito e o espelho... Não, a Rainha não podia permitir-se pensar nisso.

Ela se sentira sozinha, abandonada por seu esposo, e agora Branca também estava afastada dela. Não, aquilo era um sonho. Ou não era? Tudo em sua vida parecia agora estar emaranhado: sonhos e realidade, fantasia e pesadelos. Ela sentia que havia se tornado algo que não era humano, algo completamente estranho para si mesma. Ela se perguntou se seu pai vivera os seus dias em tal estado. Ultimamente, ela via muito dele dentro de si mesma.

Certa noite, ela acordou com a camisola encharcada de suor; sentia-se fraca e cada parte de seu corpo doía. Ela se levantou e despejou um pouco de água na bacia de seu lavatório para se refrescar quando notou algo no chão. Era sangue – poças dele – misturado com pegadas, que iam da cabeceira de seu leito até a porta do quarto e para além dela. A Rainha pegou uma tocha para iluminar o caminho e seguiu o rastro de sangue para fora do castelo e em direção à floresta. A floresta estava enegrecida, como se houvesse sido devastada por um incêndio; não havia luar nem estrelas. Era um lugar morto, arruinado por sua inveja e ódio. A única fonte de luz provinha da tocha que carregava. A trilha sangrenta finalmente terminou. Um coração estava espremido dentro de um galho em formato de garra de uma árvore morta, parecendo um fruto estranho e sanguinolento, um sangue que brilhava no galho à luz da tocha. A Rainha ficou ali, sentindo-se vazia e sozinha, o terror comprimindo o seu próprio coração.

– Mamãe? – A Rainha virou-se com um sobressalto.

Ali estava Branca, outra vez criança. Seu rosto mais pálido do que a morte, buracos negros no lugar dos olhos, seu vestido branco coberto de sangue.

– Mamãe, por favor, posso ter o meu coração de volta?

A Rainha gritou. O que foi que ela havia feito?

– Vossa Majestade, por favor, acorde! Você está tendo um pesadelo – Tilley insistiu.

– Minha filhinha precisa de mim. Ela veio aqui ontem à noite... porque ela precisa de mim! A floresta arrancou o seu coração!

A camareira ficou ali parada olhando para ela, sem saber o que fazer, atônita.

— Não, minha Rainha, Branca de Neve está no pátio; ela está bem.

— Mas e o sangue no chão? Está ali, vê?

— Você deve ter quebrado alguma coisa no meio da noite e pisado sobre o vidro. Majestade, você esteve doente.

— Não, é o sangue de Branca de Neve. Ela veio aqui no meio da noite, eu juro!

— Olhe para os seus pés, Majestade, eles estão imundos e *sangrando*. Você está doente, por favor, volte a dormir, você precisa descansar.

— Deixe-me em paz, sua garota idiota.

— Mas, Majestade, eu preciso cuidar dos...

— Eu lhe disse para sair!

A Rainha olhou para o sangue e o vidro no assoalho da câmara. Branca tinha ido procurá-la durante a noite, tinha certeza! Sua garotinha estava perdida e sozinha, e à procura do seu coração. Embora nos últimos dias ela não estivesse fazendo muita coisa senão dormir, a Rainha desmaiou de exaustão mais uma vez.

— *Você deve matar Branca de Neve se quiser sobreviver, se você desejar a sua beleza de volta.*

Ela preferia livrar-se do espelho e deixar-se morrer.

— *Se Branca de Neve viver, será lento e doloroso para você, filha. Você vai penar até a morte por muitos anos, sua alma apodrecendo dentro de você, murchando o seu corpo como uma casca; todo mundo vai olhar para você com pena e desgosto. Você vai ansiar pela morte e não sentirá nenhuma libertação, mesmo depois de a terem enterrado fundo no solo. A magia do espelho – os feitiços das irmãs – irá mantê-la viva, mesmo na escuridão. Você vai desejar desesperadamente a morte, sentirá a necessidade dela, implorará por ela, mas seu corpo não será capaz de impor sua vontade. Você estará presa dentro de si mesma, sozinha e atormentada.*

– Por que você está fazendo isso?

– Eu a odiei desde o dia em que você veio a este mundo.

– Tudo isso foi mentira, então? Por quê?

– Por vingança, pela morte de sua mãe, pela perdição de minha alma.

A Rainha acordou novamente, lembrando-se das palavras do pai em seu sonho. Lembrou-se de haver dito palavras semelhantes para Verona sobre a perda de seu marido. Estava com febre e doente, e sua mente não estava sob seu controle. Por que tais pensamentos a invadiam? Ela lutava contra eles, mas não podia deixar de sentir que havia desperdiçado sua vida por desejos vãos e o amor que seu pai nunca teve por ela. E agora ela iria ser obrigada a matar sua filha.

Não, aquilo fora um sonho. O espelho não tinha domínio sobre ela.

Sua mente estava confusa; ela não conseguia distinguir o que era real e o que era só pesadelo, e descobriu que era incapaz de manter-se acordada, mergulhando de volta em seu escapismo febril...

Ela estava olhando para o espelho:

— *Eu sou como você, pai. Eu abandonei a minha filha. Eu desprezo a beleza dela.*

— *Você* sempre *foi como eu. Uma parte de mim vive dentro de você; você compartilha o meu sangue. Somos ligados por isso e pela magia do espelho. Parte da minha alma está em você.*

— *Nós possuímos a sua alma* — *soaram as vozes das irmãs.* — *Se a sua alma está nela, ela é nossa também. Assim como sua esposa, antes de nós a levarmos!*

— *Ninguém é dono de mim!* — *gritou a Rainha.*

As irmãs gargalharam e, em seguida, desapareceram.

A Rainha saiu de seu quarto aos tropeços, sentindo-se entorpecida, e caminhou pela mesma trilha, tão familiar, em que ela e Branca de Neve costumavam passear quando Branca ainda era uma garotinha. Perdendo totalmente a noção do tempo, a Rainha acabou caminhando para muito mais longe do que pretendia. Estava outra vez na Floresta Morta. Tudo estava enegrecido e cheirava a enxofre. Ela tinha feito isso. Seu ódio e medo não só arruinaram aquela floresta, mas toda a sua vida. Tudo estava perdido para ela agora. Pelo canto do olho, percebeu algo verde e vermelho naquele negro vazio. Era uma reluzente e apetitosa maçã pendurada em uma árvore daquela Floresta Morta. Ela se perguntou como não a tinha notado imediatamente, já que destoava e destacava-se de forma notável e misteriosa dentre todas aquelas árvores mortas. O que lhe trouxe certa esperança. Ela pegou a brilhante maçã da árvore morta, colocou-a nas dobras de seu vestido simples, puxou o xale sobre a cabeça e pôs-se a caminho de uma pequena choupana no fundo do bosque.

Quando a Rainha acordou do seu sonho febril, Tilley estava colocando uma compressa fria sobre a sua testa.

– Eu preciso de alguma coisa para comer. Uma... uma maçã – a Rainha murmurou através dos lábios ressecados.

Tilley tirou a compressa da testa da Rainha e a mergulhou em uma bacia com água de rosas frescas.

– Você estava sonhando, minha Rainha. – E ela continuou: – Branca está aí fora e gostaria de vê-la.

A Rainha quase barrou a visita de Branca, mas depois pensou melhor.

– Sim, peça para ela entrar.

Tilley avisou o criado a postos do lado de fora do quarto e Branca de Neve pôde entrar. Estava tão linda. O sol parecia segui-la onde quer que fosse. Os trapos que usava só acentuavam sua beleza, pelo grande contraste. Ela era tão jovem, tão doce, tão *bela*.

– Sinto muito que você esteja tão doente, mãe. Existe algo que eu possa fazer por você?

– Há sim. Por favor, você poderia me conseguir uma maçã? A mais vermelha e mais reluzente que você encontrar? – pediu-lhe a Rainha, enquanto Tilley continuava a refrescar-lhe a testa.

Branca trocou um olhar de tristeza com a criada.

– É claro, mãe, vou lhe buscar uma maçã, se é o que deseja – disse Branca de Neve.

– Obrigada, meu passarinho – respondeu a Rainha, entrando e saindo de seu delírio.

A Rainha chegou a uma grande árvore coberta de musgo, onde sabia que poderia encontrar uma certa raiz indutora do sono, que só crescia na sombra e na umidade. Sentindo-se fria e má, ela cavou a terra. A raiz estava lá, justamente como havia pensado. Ela puxou seu pequeno punhal e cortou a raiz; seu óleo vermelho-escuro se derramou por suas mãos, parecendo sangue. Sentia-se perversa, e um calafrio maligno a percorreu. O que a levara a cometer atos tão sórdidos? Ela esfregou a substância oleosa da raiz na maçã. Aquilo faria Branca dormir um sono semelhante à morte. Talvez a Rainha devesse dar uma mordida na maçã também, e, então, ela poderia ficar junto com sua filha sem medo de feri-la.

Ela continuou seu caminho pela floresta até que chegou a uma clareira, e lá estavam as irmãs esquisitas.

— Então...

— Você descobriu...

— A maçã envenenada, não é?

Em seguida, as irmãs pegaram a Rainha pelos braços e a arrastaram até a extremidade da clareira. O Espelho Mágico estava lá, e Lucinda forçou a Rainha a postar-se diante de sua imagem, enquanto Martha e Ruby ficaram ao lado delas, olhando boquiabertas para o reflexo da Rainha.

Seu rosto — seu belo rosto — desabara numa flacidez enrugada e velha, vincada pelos sulcos da idade e pontilhada com verrugas. Ela podia sentir o próprio hálito e ele era fétido, condizente com seus dentes podres. Estava uma verdadeira bruxa — uma bruxa velha, vil e repugnante.

As irmãs riram quando a Rainha se desvencilhou delas e fugiu. Era difícil para ela correr, uma vez que suas costas agora estavam encurvadas com o peso da idade daquele "novo" corpo.

Ela correu o máximo que podia pela floresta, tão rápido quanto suas pernas conseguiam levá-la. E então ela chegou a uma pequena choupana. Branca estava lá. Mas ela não a reconheceria agora.

A garota — uma mulher feita agora — era deslumbrante. Mas algo estava errado, ela não tinha mais o antigo entusiasmo, algo dentro dela havia mudado. Naquele momento, a Rainha compreendeu. Ela lhe tomara o coração. Não fisicamente. Não, ela ainda vivia. Mas privara a filha da alegria de viver quando a abandonou. Branca estava falando com animais silvestres; ela parecia ter a companhia de vários deles, tanto dentro de casa como em torno da choupana. A Rainha se perguntou se o sofrimento fizera Branca perder o juízo; tal pensamento deprimiu seu coração. A Rainha perguntou se mesmo em seu estado — com a aparência de uma velha bruxa, e estando Branca de Neve com as faculdades mentais abaladas pelo medo e a dor — a garota poderia reconhecê-la. Algo nos olhos de Branca lhe diziam que sim.

Mas isso não era possível.

Segurando um passarinho na mão, Branca sorriu para a velha mulher, com aquele lindo e meigo sorriso, tão característico dela. Ela parecia uma criança novamente. Uma bela criança. Uma bela mulher. Certamente, mais bela do que a Rainha.

— Olá, minha querida, como você está hoje?

Branca de Neve apenas ficou ali parada, olhando para ela como que hipnotizada.

— Eu tenho um presente para você, minha querida — disse a Rainha, entregando a maçã para a filha. Branca olhou nos olhos da mãe quando pegou a maçã.

Branca de Neve, quase distraidamente, deu uma mordida na fruta e, então, desabou no chão no mesmo instante, com a maçã ainda em sua mão.

E pouco antes de fechar os olhos, ela disse:

— Mas o meu sonho se tornou realidade, mamãe. Você voltou para mim como eu sabia que faria. Eu amo você...

A Rainha se inclinou, beijou a filha e sussurrou em seu ouvido:

— Oh, eu também amo você, meu passarinho. Eu a amo tanto...

CAPÍTULO XIX

TERRÍVEL POSSESSÃO

A Rainha levantou-se de sua cama sentindo-se bem melhor, como há muito não se sentia: com força, poder – varrida por uma onda de confiança. Sim, é verdade que seu sonho provava que ela estava em conflito e que havia perdido o rumo. Mas a lembrança de Branca, sua aparência nos sonhos – doente, pálida, morta – não a deixava. Só que, em vez de confortar seu coração correndo para a filha para abraçá-la, feliz por ela estar viva, as imagens serviam apenas para renovar o ânimo da Rainha.

Como seria possível tal garota – com olhos negros e vazios, sem coração – rivalizar com a beleza da Rainha?

Ela começou a se perguntar como sua mente podia ter sido tão contaminada com tamanha fraqueza e emotividade. Estivera doente. Simples assim. Ela levantou-se da cama pela primeira vez em muitos dias, abriu as cortinas, e viu Branca de Neve no poço dos desejos, esfregando-o, andrajosa. Ela era bela, sem dúvida. Mas nem de perto bela como a Rainha.

Ela ordenou aos criados que lhe preparassem um banho, e logo estava revigorada e usando o seu melhor vestido. Sua coroa descansava perfeitamente sobre a cabeça, seu cabelo negro como as asas de um corvo cobertos por um véu, e sua capa favorita, roxa e preta, presa ao vestido por um broche feito de ouro e rubis.

Ela examinou-se no Espelho Mágico e sorriu. Na verdade, ela nunca parecera tão bela.

— Escravo do Espelho Mágico — ela começou a conjurar —, deixe a vastidão infinita, através do vento e das trevas. Eu o convoco: fale! Diga-me como sou bonita!

Chamas tomaram o espelho, depois diminuíram, revelando o rosto no Espelho Mágico.

— O que deseja saber, minha Rainha?

— Espelho, espelho meu, existe alguém mais bela do que eu?

— Famosa é a sua beleza, Majestade. Porém, há uma garota entre nós com tanto encanto e suavidade que eu digo: ela é mais bela do que você — disse o Escravo.

— Pior para ela! — a Rainha bradou, indignada. Quem poderia ser essa mulher? — Revele o seu nome! — a Rainha ordenou.

— Lábios vermelhos como a rosa, cabelos negros como o ébano, pele branca como a neve...

A Rainha sentiu uma fraqueza. O quarto começou a balançar, e ela quase perdeu o equilíbrio. Ela levou a mão ao broche e o apertou, recuando com horror.

– Branca de Neve! – ela disse.

A Rainha correu para a janela. Branca ainda estava esfregando os degraus próximos ao poço. E, enquanto fazia isso, ela cantava e dançava, e a Rainha sentiu pela garota algo muito próximo do ódio. Nada, ao que parecia, conseguia esmorecer o espírito de Branca de Neve. Como a menina poderia ter se recuperado tão bem da perda de seu pai? Será que não se lembrava de todos os momentos felizes que passaram juntos? Como podia encontrar em seu coração disposição para sorrir – para rir e cantar?

Para *amar*?

A Rainha notou o jovem Príncipe aproximando-se de Branca de Neve. Branca sobressaltou e afastou-se dele correndo, sem dúvida temendo a ira da Rainha, que a advertiu para que não ficasse às voltas com o rapaz. Isso satisfez brevemente a Rainha, só até Branca de Neve logo reaparecer na varanda abaixo dela, cantando junto ao Príncipe, que agora, ora vejam só, estava cantando uma serenata para ela. A garota não apenas estava superando a Rainha como a mais bela de todas, como também estava apaixonada. Um insulto tanto ao seu pai como à Rainha!

A Rainha rapidamente fechou as cortinas e se assustou quando se virou e deu de cara com as três irmãs paradas no meio do seu quarto.

– Você três! Como vieram parar aqui?

– Temos os nossos segredinhos, Majestade... – disse Lucinda.

– Assim como você... – finalizou Ruby.

– O que vocês querem? – perguntou a Rainha, secamente.

– A questão é... – perguntou Martha.

– O que *você* quer? – terminou Lucinda.

– Eu acho que vocês já sabem a resposta, queridas – disse a Rainha.

As irmãs começaram a falar, completando as frases umas das outras.

– Você tem poderes, Majestade... as respostas que você procura estão... nos livros que deixamos aqui há muito tempo... tomos sobre magia negra... venenos e poções... disfarces. Se você conhecer seus poderes... terá sua resposta... afinal... você vem de uma longa linhagem de bruxas... os poderes não estão apenas nos livros... está em seu sangue... assim como estava... no de sua mãe.

– Mentirosas! – disse a Rainha, arremessando um vaso delicado nas irmãs.

– Oh, minha cara... – disse Lucinda.

– Você desenvolveu um gênio terrível – concluiu Martha.

– Isso pode vir a calhar em sua atual circunstância – disse Lucinda.

– Veja, há uma maneira mais fácil de recuperar o seu posto de a mais bela – Ruby continuou.

– E o que seria isso? – perguntou a Rainha com ceticismo.

– Matar a menina – as irmãs disseram em conjunto e irromperam em sua gargalhada doentia.

– Matar Branca de Neve? Vocês estão loucas! – revoltou-se a Rainha. Mas parte dela já vinha contemplando o mesmo destino para a menina.

As irmãs continuaram rindo.

— A loucura está na mente de quem vê, Rainha.

— É o único jeito. Ela deve morrer, quer seja por suas próprias mãos ou pelas mãos de outra pessoa. Será que você não deseja ser a menina dos olhos do seu pai novamente? Você não quer ouvir o Escravo dizer-lhe que *você* é a mais bela?

— Claro, mas...

— O amigo de seu Tio Marcus, o Caçador. Ordene-o que faça... — falou Lucinda.

— O serviço... — Ruby terminou. — Seu marido...

— Vai ser vingado por sua filha desrespeitar sua memória sendo feliz com outro homem da realeza, e você voltará a assumir o seu...

— Lugar de direito como a mais bela de todas...

— E o melhor de tudo, o sangue dela não estará em suas mãos.

As irmãs irromperam numa gargalhada novamente.

A Rainha sacudiu negativamente a cabeça. Poderia parecer que ela estava em desacordo com as irmãs, mas na verdade estava lutando contra o desejo dentro de si mesma de se submeter à sugestão delas.

— Parece que você precisa... — disse Lucinda.

— De uma ajudinha... — Ruby concluiu.

Martha abriu a bolsa e tirou de lá uma xícara de chá vazia.

Lucinda disse:

— Minério e metais, bondade não mais.

Então, curvou-se e cuspiu na xícara.

— Do amor e da ternura o fim; em vez disso, aqui tem um pedaço de mim — disse Ruby, inclinando-se sobre o ombro de Martha e também cuspindo na xícara.

— De eterna viúva chorosa, para Rainha enfim poderosa... — disse Martha, levantando a xícara aos lábios murchos e cuspindo também.

As três irmãs, então, estenderam cada qual uma mão sobre a xícara, e quando a Rainha pôde vê-la outra vez, percebeu que estava cheia de um líquido fumegante.

— Beba — disse Lucinda.

A Rainha parecia descrente, mas pegou a xícara. Se aquilo ajudasse a fortalecê-la, que foi o que compreendera do encantamento, então ela ficaria feliz em tomar seu conteúdo.

À medida que o líquido descia por sua garganta e entrava em seu corpo, ela começou a sentir uma fúria inacreditável. Mas era um tipo estranho e focado de fúria que sentiu, podia ser brandida como uma arma. Parecia que seu corpo tinha sido completamente tomado pela parte contra a qual lutara durante tanto tempo. E ela descobriu que adorava isso.

— Irmãs... — disse a Rainha malignamente —, deixem-me. Agora. Ou farei com que sejam evisceradas e suas entranhas fiquem penduradas nas árvores que ladeiam este castelo. E mandarei que alimentem as feras no fosso do castelo com o que restar de vocês.

Lucinda sorriu sombriamente, e Ruby e Martha seguiram o exemplo.

— Chame-nos se precisar de nós, querida — disse Lucinda. E as três desapareceram tão misteriosamente como haviam chegado.

CAPÍTULO XX

O Caçador

— O Caçador já voltou? – perguntou a Rainha para Tilley, que ela ordenara que fosse ao seu quarto.

– Não, Vossa Majestade, ainda não. No entanto, creio que ele não deve demorar. Já é quase meio-dia – a criada respondeu.

– Mande-o vir aqui assim que ele chegar; diga-lhe para não se preocupar em se tornar apresentável. Eu entendo que ele irá querer fazê-lo depois de um longo dia no encalço dos animais, mas o assunto que tenho a tratar com ele é da mais alta importância e preciso vê-lo o quanto antes.

– Sim, minha Rainha.

E, com isso, Tilley deixou o quarto. A Rainha estava muito nervosa para comer. Desejava desesperadamente aproximar--se do espelho outra vez para perguntar quem era a mais bela, para ouvir o pai responder que era ela, mas sabia que não seria a resposta. A ideia de ouvir outra vez que Branca de Neve era a mais bela moeu seu coração de pedra em pó. Ela caminhava de um lado para o outro do aposento. Esperando. Dentro em breve, ela seria novamente a mais bela... assim que Branca de Neve estivesse morta. O tempo passava lentamente; ela olhou para os rostos das mulheres aladas em ambos os lados de sua lareira; imaginou se transformar em um dragão e matar Branca de Neve ela mesma... se pelo menos os seus poderes fossem assim tão grandes!

Ela sentou-se em seu trono e aguardou a chegada do Caçador.

E, então, uma batida soou na porta do quarto.

– Entre! – ela ordenou.

Era o Caçador. Sua aparência era robusta e suja, e havia grãos de terra grudados em sua testa suada.

– A senhora mandou me chamar, minha Rainha?

– De fato. Eu quero que você leve Branca de Neve para longe daqui. Leve-a para bem longe, para dentro da floresta. Encontre alguma clareira isolada onde ela possa colher flores silvestres...

– Sim, Vossa Majestade – disse o Caçador.

– E lá, meu fiel Caçador, você vai matá-la – disse a Rainha.

– Mas, Majestade! Matar a princesinha! – o Caçador espantou-se.

– Cale-se! Você sabe a punição por desobediência! – bradou a Rainha.

– Sim, Vossa Majestade – o Caçador respondeu, baixando os olhos para o chão. Era a vida da menina ou a sua própria. Ou pior, a vida de sua família.

A Rainha continuou:

– Mas, para termos duas vezes mais certeza de que você não irá falhar, traga para mim o coração dela dentro disto aqui.

A Rainha pegou uma caixa de madeira entalhada e a mostrou ao Caçador. Ela era lindamente decorada e tinha como fechadura um coração trespassado por uma espada. Um verdadeiro atestado de como a Rainha havia se transformado, de como ela perdera de vista as coisas que antes lhe eram importantes e queridas, era que ela sequer reconhecia a caixa como aquela do dote da primeira esposa do Rei. A própria caixa que um dia guardara as cartas da mãe de Branca.

– Não me desaponte! – a Rainha ordenou.

– Eu não faria isso, Vossa Majestade.

O Caçador deixou o quarto e a Rainha Má assistiu da janela quando Branca de Neve seguiu o Caçador alegremente. A Rainha sorriu com maldade. Em seguida, a espera começou.

Ela ficou zanzando pelo quarto durante horas. Pensou em se aproximar do Espelho Mágico, mas não queria fazê-lo prematuramente. Não podia suportar ouvir mais uma vez que ela não era a mais bela de todas.

O sol já estava se pondo, e o Caçador ainda não havia retornado. Ela temia que ele tivesse perdido a coragem e fugido, levando a garota a reboque. E, então, a Rainha Má ouviu uma batida na porta.

O Caçador entrou e ficou ali parado diante dela, parecendo atordoado. Ele entregou a caixa para a Rainha. Trouxera o coração de Branca de Neve, como a soberana havia exigido. A Rainha sentiu um arrepio de excitação perversa. Os velhos medos e fraquezas não perturbavam os seus pensamentos, não empanavam a sua euforia. Tinha feito a escolha certa em matar a garota. Fora para o bem de toda a sua família. Era libertador. E, o mais importante: ela era novamente a mais bela de todas.

– Obrigada, meu leal servo; você será muito bem recompensado, eu lhe garanto. Agora, deixe-me – disse a Rainha.

O Caçador obedeceu-lhe sem dizer uma palavra, e a Rainha foi direto para o espelho. Chegara enfim o momento que tanto esperara.

– Espelho, espelho meu, existe *agora* alguém mais bela do que eu? – ela perguntou, com um sorriso nos lábios e a caixa que continha o coração em suas mãos.

O Escravo apareceu e falou:

– Além das Sete Colinas, além da sétima cachoeira, na choupana dos Sete Anões, mora Branca de Neve, a mais bela de todas.

A Rainha não pôde reprimir um sorriso malicioso.

– Branca de Neve está morta na floresta. O Caçador me trouxe a prova. Eis o seu coração!

A Rainha abriu a caixa e exibiu-a para o Espelho Mágico.

– Branca de Neve ainda vive – disse o Escravo. – A mais bela de todas. O que você tem nas mãos é um coração de porco.

— O coração de um porco! Então, fui enganada! — esbravejou a Rainha.

A Rainha teve um acesso de fúria tão violento que os criados pensaram que o castelo estava desabando em torno deles. Ela desceu as escadas como um furacão, irrompeu pelas portas da frente, prosseguiu no mesmo ritmo pelo pátio e dali para os estábulos, onde o Caçador estava desselando seu cavalo.

— Você não a matou!

— Não, Vossa Majestade, eu não pude. Sinto muito, mas eu temia que você iria se arrepender da escolha se eu seguisse suas ordens.

— Você cometeu um grave erro. — E, dito isso, ela tirou seu punhal do cinto, cravou-o no ventre do Caçador e torceu-o violentamente. Ele caiu no chão enquanto ela arrancava o punhal gotejante de sangue. O sangue ainda estava quente. Ela olhou para as próprias mãos por um momento e, em seguida, para o homem que estava se contorcendo em agonia no chão do estábulo. Ela devia esfaqueá-lo novamente, pensou, para concluir o ato. Mas, então, o sangue que escorria do punhal chamou sua atenção. Vermelho e reluzente.

Reluzente.

Como uma maçã.

CAPÍTULO XXI

A BRUXA E A MAÇÃ

A Rainha seguiu direto para o calabouço sem trocar uma palavra com quem quer que fosse durante o trajeto, sua raiva alimentando um sentimento supremo de poder. Ela desceu a tortuosa escada de pedra, e o lugar sombrio mergulhava cada vez mais na escuridão à medida que descia. Era nas profundezas do calabouço que ficava a câmara onde ela guardava os livros das irmãs e praticava magia negra. Ela bateu a porta do calabouço com um estrépito retumbante.

– O coração de um porco! Maldito Caçador! – a Rainha vociferou.

O corvo, que havia voado por meses antes de ir parar ali, estava empoleirado em um crânio perto dos livros de magia das irmãs esquisitas. Suas asas se agitaram quando a Rainha Má irrompeu na câmara.

A Rainha decidiu que, se queria Branca de Neve morta, tinha de fazê-lo com as próprias mãos. Mas ela era conhecida por toda parte. Precisaria se esconder de alguma forma para atravessar as Sete Colinas, e ir além da sétima cachoeira, para chegar à Branca de Neve. Ela correu até a prateleira onde guardava os livros das irmãs sobre todos os tipos de magia, magia negra, feitiçaria, alquimia, venenos... disfarces.

Ela puxou da estante o grande, antigo e empoeirado livro, e o abriu sobre uma mesa. Ela iria transformar sua majestosa aparência de rainha na de uma velha vendedora ambulante. Ela folheou o tomo impacientemente através das páginas esfarrapadas e manchadas até que encontrou o que estava procurando: Disfarce da Vendedora Ambulante.

A Rainha preparou seus tubos de ensaio e béqueres e colocou suas poções para ferver. Então, seguindo cuidadosamente as instruções da receita da poção, ela acrescentou uma pitada de pó de múmia, para se tornar idosa, seguida por outros ingredientes para encobrir suas belas roupas, para envelhecer sua voz e para branquear o cabelo.

Quando a fórmula estava completa, ela despejou-a em uma taça de cristal e a ergueu diante de uma janela aberta, onde foi bem misturada pelo vento feroz e as intempéries. Ela levou a taça aos lábios e bebeu.

Ela nunca tinha preparado uma poção tão poderosa... e nunca havia sentido uma sensação como aquela antes. A câmara toda começou a girar, e a Rainha tinha certeza de que iria morrer. As cores giravam ao seu redor, e ela agarrou a garganta, que parecia estar se fechando. Em seguida, suas mãos começaram a formigar. Ela as estendeu diante de si e olhou-as. Elas começaram a se transformar, murchando para velhas mãos ossudas, com dedos como garras.

Sua garganta começou a arder.

– Minha voz! – ela exclamou.

Mas a voz que emitiu não soou altiva e corajosa, e sim, trêmula e rouca.

Depois de um tempo, a estranha sensação diminuiu. Ela olhou para um béquer bem polido e viu seu reflexo. Ela era agora uma velha decrépita... como a do seu sonho. Seu queixo estava pontudo. Uma verruga adornava a ponta de seu nariz adunco. As sobrancelhas tinham engrossado, e eram agora negras e desgrenhadas. O seu cabelo ralo, de um grisalho amarelado, caía por sobre o seu rosto e agitava-se ao vento que passava pela grade da janela. Suas roupas também haviam mudado.

Já não vestia o seu régio traje, mas um velho saco de estopa preto com um capuz para cobrir os cabelos esfiapados. Era a antítese de tudo o que ela tinha sido. Um disfarce perfeito.

Ela não pôde deixar de rir de si mesma. E, agora, ela iria formular um tipo especial de morte para alguém tão bela. O que seria? Buscou por sua capa, que ainda continha a maçã que Branca de Neve havia lhe trazido. Uma maçã envenenada! A Rainha se lembrou da ocasião, quando Branca de Neve ainda era criança, em que havia lhe contado o que as irmãs esquisitas disseram a ela sobre a fruta enfeitiçada.

Ela folheou freneticamente o livro de poções das irmãs e enfim encontrou o que queria. Bastava uma só mordida na maçã envenenada e os olhos da vítima se fechariam para sempre no Sono da Morte. A Rainha vasculhou os frascos e caixas armazenados no calabouço. Ela encheu seu caldeirão com uma boa quantidade de essência de gambá e, em seguida, acrescentou o restante da fórmula – na maior parte, plantas como dedaleira e acônito – com uma pitada de coisas muito menos comuns, coisas encontradas em necrotérios, em vez de em florestas.

Em pouco tempo, seu caldeirão estava borbulhando com um líquido verde-acinzentado. A Rainha considerou a maçã e sorriu. Em seguida, ela amarrou um fio em torno de sua haste, de modo que pudesse mergulhá-la no elixir sem tocar na poção mortal. Tudo o que ela precisava fazer agora, de acordo com o livro das irmãs, era recitar o encantamento e baixar a maçã no caldeirão.

E, então, o feitiço estaria completo.

– Primeiro, a maçã na poção afundar; então, o excesso de Sono Mortal escoar! – ela recitou.

E, dito isso, mergulhou a maçã no caldeirão. Quando o fez, o líquido verde-acinzentado mudou para um azul pálido, e quando a maçã, antes vermelha e reluzente, emergiu de seu banho negra, uma sinistra marca de caveira apareceu sobre ela. Era a confirmação de que o feitiço fora um sucesso, exatamente como o livro das irmãs revelara que aconteceria. Ela só precisava recitar um encantamento mais e o feitiço seria selado:

– Agora em vermelha e lustrosa mudar, para o apetite de Branca de Neve tentar!

A maçã rapidamente trocou a cor preta para o vermelho mais vivo que a Rainha já havia visto. Ela jogou a cabeça para trás e deu uma gargalhada insana. Estava bem armada agora. Mas, então, ela hesitou: e se houvesse um antídoto? Ela correu de volta para o livro das irmãs e mais uma vez folheou freneticamente as páginas. Sim, havia um antídoto: a vítima do Sono da Morte poderia ser despertada do sono, mas só pelo Primeiro Beijo de Amor. Por um instante, a Rainha ficou cabisbaixa e enfurecida. Afinal, o Príncipe estaria à procura de Branca de Neve. E se ele a encontrasse deitada lá, e beijasse seu "cadáver" por tristeza? Ela iria despertar. A Rainha Má rapidamente afastou tal pensamento da mente. Não haveria chance de isso acontecer. Branca de Neve estava na floresta com os Sete Anões. Eles iriam encontrar o corpo dela e achar que estava morta. E a enterrariam *viva*.

A Rainha gargalhou, assustando o corvo que habitava o calabouço.

A Rainha Má só precisava fazer mais uma coisa: entregar a maçã.

Em breve, ela voltaria a ser a mais a bela de todas.

Capítulo XXII

A MEGERA, A MAÇÃ E A MOÇA

A Rainha colocou a maçã envenenada em uma cesta cheia de outras maçãs. Era a única vermelha, a fim de que ela fosse capaz de identificá-la quando chegasse a hora de usá-la. Ela pegou a cesta e levantou um alçapão no calabouço. Desceu a escada oculta que levava a uma passagem subterrânea, onde há muito tempo o Rei havia ajudado a Rainha e Branca a fugirem do castelo apressadas e sem serem vistas, durante um ataque.

Ela pulou para o barco e remou no rio subterrâneo, que ia dar no fosso do castelo e, finalmente, no pântano em torno da floresta.

Era noite alta ainda, e ela tinha certeza de que havia passado despercebida: uma evidência, ela pensou, de quão mal os guardas do castelo faziam o seu trabalho.

A Rainha contornou o pântano furtivamente e atravessou a floresta em direção às Sete Colinas. Mas, com sua nova forma – um corpo encurvado e dores nas articulações –, não era fácil deslocar-se pelo terreno acidentado, e ela precisou parar muitas vezes para descansar.

Então, ela chegou a uma clareira banhada pelo pouco de luar que conseguira penetrar as nuvens.

– Flagrada no ato, hein? – ela ouviu uma voz.

– Quem está aí? – perguntou a Rainha, ainda não acostumada à sua voz de velha, recém-adquirida.

Três figuras saíram das sombras.

– Vocês! – a Rainha surpreendeu-se.

– Você escolheu... o caminho... certo – disseram alternadamente as irmãs esquisitas.

A Rainha Má afastou-as de sua frente e continuou, caminhando com dificuldade, adentrando mais profundamente a floresta. Ela já tinha o que precisava delas: suas magias e poções. As três irmãs já não tinham mais utilidade para ela.

– Nós esperamos que você se saia bem – as irmãs lhe gritaram, enquanto ela prosseguia a sua caminhada em direção às Sete Colinas.

Foi só depois do amanhecer que ela finalmente alcançou as colinas. Ela prestou atenção para ver se escutava o rugido das Sete Cachoeiras, e seguiu seu caminho naquela direção. Evitou com cuidado as feras e criaturas da noite. Foi forçada a passar por cima de troncos de árvores derrubadas para atravessar rios e córregos, coisa que, em seu estado frágil, não foi nada fácil. Mas sua determinação era tão forte, sua vontade de matar Branca de Neve tão grande, que ela conseguira chegar às Sete Colinas. E um pouco além delas estava a choupana dos Sete Anões, e nela... Branca de Neve.

No topo da colina, a Rainha endireitou o corpo curvado o máximo que conseguiu e observou a paisagem lá embaixo. Notou uma trilha gasta que levava à floresta. Fumaça de chaminé pairava sobre as copas das árvores perto de onde ela suspeitava que a trilha terminava.

A Rainha jogou a cabeça para trás e riu loucamente. Em seguida, ela se pôs a seguir o caminho.

Logo foi recompensada por seus esforços. A Rainha se escondeu atrás de uma árvore e observou a casinha rústica. A porta se abriu e os homenzinhos sobre os quais o Escravo falara saíram para o seu trabalho diário nas minas.

E, então, ela a viu... Branca de Neve!

A menina tinha ido até a porta para se despedir dos homenzinhos. A Rainha estava desgostosa e cheia de veneno e ódio. Cabelos negros como ônix, lábios rubros como rubis, pele alva como a neve, coração de ouro... Ah! Nessa a Rainha não caía: Branca de Neve era uma moça egoísta que não respeitava a memória de seu pai e estava conspirando para superar sua mãe na única coisa que lhe restara neste mundo: sua beleza.

A Rainha ficou olhando enquanto os anões deixavam a casa. O sol atravessava as copas das árvores, cujos galhos estavam cheios de pássaros. Branca de Neve saiu para o jardim, onde jogou migalhas de pão para os azulões. A Rainha a espiou atrás da árvore onde estava se escondendo; seus dedos curvos como garras enrolaram-se em um galho baixo e produziram um insuportável som de arranhar quando ela cravou as unhas na casca da árvore, desejando que fosse a carne de Branca de Neve.

– Não mudou nem um pouquinho – ela sussurrou para si mesma, em sua nova voz rascante.

Ela esperou Branca entrar em casa antes de se aproximar da choupana. Através da janela aberta, ela a espiou, feliz da vida, preparando tortas.

Veloz e repentinamente, a Rainha enfiou a cabeça pelo vão da janela:

– Está sozinha, minha querida? – ela perguntou.

Branca ergueu a vista de seu trabalho, visivelmente assustada com o súbito aparecimento da idosa diante dela.

– Oh... sim, estou, mas... – a doce garota respondeu, um tanto atônita.

– Os homenzinhos não estão aqui? – perguntou a Rainha.

– Não, não estão – Branca respondeu.

A Rainha se inclinou para frente e farejou o ar.

– Fazendo tortas? – ela perguntou.

– Sim, tortas de groselha.

Doce.

Enjoativa.

Hora de morrer.

– São as tortas de maçã que dão água na boca dos homens – disse a Rainha. – Tortas feitas com maçãs como *esta*!

Ela puxou a lustrosa maçã vermelha de sua cesta e mostrou-a a Branca de Neve. A menina estava hesitante, mas a Rainha usou todo o poder de persuasão de sua frágil personificação para convencê-la a dar uma mordida. Branca de Neve parecia extasiada com a maçã, e estendeu a mão para pegá-la e aproximá-la dos lábios.

Então, de repente, a Rainha viu-se atacada por aquilo que parecia ser uma horda de morcegos. Mas não podiam ser morcegos, estavam no meio da manhã. Ela sentiu as criaturas bicando-a e golpeando-a com suas asas, rasgando sua pele com garras, e viu bicos cruéis avançando avidamente para os seus olhos. Ela recebeu uma saraivada de penas.

Pássaros!

Ela estava sendo atacada por bandos deles. Ela levantou os braços para bloqueá-los e deixou cair a maçã.

Branca de Neve imediatamente foi em seu socorro, saindo da choupana e afugentando as aves. A Rainha apanhou a maçã com rapidez e checou-a para garantir que ela não fora danificada de alguma forma. Branca de Neve aproximou-se dela e pediu-lhe desculpas, e a Rainha aproveitou a oportunidade para ser convidada a entrar na choupana, queixando-se de ter um coração fraco e expressando a necessidade de sentar-se.

Branca foi até a extremidade oposta da casa para buscar um pouco de água para a Rainha e, enquanto fazia isso, a Rainha tirou a maçã envenenada novamente da cesta e planejou os próximos passos. Então, algo inesperado... Ela não podia fazer aquilo com a sua garotinha, seu pequeno passarinho... Seu coração doía.

Fraqueza.

Afaste tais pensamentos!

Ela enterrou fundo o impulso momentâneo, com o seu pesar, e voltou a se concentrar no assunto em questão.

– E só porque você tem sido tão boa para a pobre e velha Vovó, vou compartilhar um segredo com você. Esta não é uma maçã comum. É uma maçã mágica que realiza desejos – disse a Rainha.

– Uma maçã que realiza desejos? – perguntou Branca de Neve.

A Rainha se levantou de sua cadeira e começou a se mover em direção à Branca de Neve com a maçã estendida à sua frente.

– Sim! Uma só mordida e todos os seus sonhos se tornam realidade.

– Verdade?

A Rainha se aproximou mais.

– Sim. Agora faça um desejo e dê uma mordida...

Branca parecia apreensiva e começou a se afastar, enquanto a Rainha avançava em sua direção estendendo-lhe a maçã.

– Deve haver *algo* que seu coraçãozinho deseje. Talvez haja alguém que você ama? – perguntou a Rainha.

– Bem, há alguém... – Branca respondeu.

– Ah! Foi o que pensei, foi o que eu pensei – disse a Rainha, rindo. – A velha Vovó conhece bem o coração de uma garota. Agora, pegue a maçã, querida, e faça um desejo.

A Rainha meteu a maçã nas mãos de Branca de Neve. Ela sorriu e acenou com a cabeça, encorajando-a, enquanto observava a menina considerar a maçã.

Então, a garota fez um desejo. Ela desejou todas as coisas que a Rainha um dia tivera: amor, um belo príncipe que chegasse montado em seu cavalo e a levasse para o seu castelo para fazê-la sua esposa. Mas ela também desejou algo que a Rainha sabia que ela mesma nunca poderia ter, e isso era "viver felizes para sempre".

A Rainha assistiu à cena, torcendo as mãos de expectativa.

— Rápido! Não deixe o desejo esfriar! — ela apressou a menina.

E, assim, Branca de Neve cravou os dentes na maçã mais bonita e perfeita que já tinha visto.

— Oh, eu não estou me sentindo bem — disse ela.

A Rainha observou ansiosa o veneno fazer efeito. Branca bambeou um pouco, para lá e para cá. A Rainha esfregou as mãos e balançou para trás e para a frente... esperando. Esperando o momento em que ela voltaria a ser novamente a mais bela de todas. E, então, finalmente, Branca de Neve caiu no chão. A maçã mordida rolou de sua mão e a perversa Rainha Má explodiu em gargalhadas maníacas, que podiam ser ouvidas por todo o reino. Como que em resposta, um formidável trovão ressoou lá no alto e o céu pareceu desabar com uma chuva torrencial.

CAPÍTULO **XXIII**

O PENHASCO

Branca de Neve jazia aos pés da Rainha enquanto a velha gargalhava. Ela pensou que ficaria exultante. Revigorada. Tomada de alegria. Mas, em vez disso, sentia-se fraca. A longa viagem tinha cobrado o seu preço. Se ao menos ela não estivesse presa naquele corpo velho e caquético! Levaria séculos para retornar ao castelo. O que mais queria agora era perguntar ao Espelho Mágico quem era a mais bela.

Ela nem se dera ao trabalho de ver o que precisava para reverter a poção do Disfarce de Vendedora Ambulante. Certamente as irmãs tinham algo escondido naquele velho baú que deixaram.

— Perdoe-me, minha Rainha. — Era uma das vozes das irmãs esquisitas, embora a mulher não estivesse à vista.

– Não existe um antídoto – ecoou outra voz, seguida pelos estranhos risinhos cacarejantes das irmãs.

Pânico.

– Não há antídoto! Não há maneira de reverter isso? Impossível. Deve haver uma maneira. – Ela folheou mentalmente as páginas do antigo livro, seu coração batendo forte, as mãos tremendo; ela teve de sentar-se novamente, já que seu coração agora era o de uma mulher velha.

– Acalme-se – disse para si mesma.

Sua cabeça estava girando, e ela não conseguia recuperar o fôlego.

– Tudo isso por nada! – Sentiu-se entorpecida. Não poderia encarar o rosto de seu pai no espelho com aquela aparência. Velha, feia, inútil. E, então, pegou-se fazendo a única coisa que podia. A Rainha começou a gargalhar histericamente. Sua vida, aquele dia – havia sido tudo tão ridículo! Como tinha chegado a esse ponto? Ela não conseguia controlar sua risada e gargalhava sonoramente enquanto saía pela porta para a chuva. Talvez ela a purificasse. Talvez a renovasse. Fornecesse alguma perspectiva.

Ela havia odiado o pai e, no entanto, tornara-se como ele. Sem coração. Má. Cruel. Ela arruinara a sua vida por nada. Nunca seria a mais bela, não daquele jeito. Por nada! Ela havia matado o seu passarinho por nada. Sua cabeça estava estourando de dor, ela estava transtornada, surpreendida por sua culpa, seu arrependimento. Mas do que mais se arrependia, de ter destruído a vida de Branca ou a sua própria?

De repente, os homenzinhos irromperam no jardim. Eles tinham sabido o que havia acontecido e estavam clamando pela morte da Rainha. O choque a despertou rapidamente de qualquer devaneio sentimental e ela voltou a ser má – agora preocupada apenas com a preservação de sua própria vida.

Ela se levantou com dificuldade e correu o mais rápido que pôde. Os homens não se pareciam nadinha com o que havia imaginado. Suas expressões estavam desfiguradas pela raiva, eles sabiam por que ela estava lá, sabiam o que tinha feito; de alguma forma, aqueles homens possuíam uma magia própria.

Ela correu dos homenzinhos em pânico, com o coração disparado, tomada de pavor. Com suas passadas muito mais largas do que as deles, ela tinha conseguido abrir uma boa distância sobre os anões, mesmo correndo na chuva e em seu estado debilitado.

Os homenzinhos não arrefeciam, e a perseguiram floresta adentro. Ainda assim, ela mantinha-se à frente deles.

E, então, ela chegou a uma bifurcação. Um caminho levava a um penhasco, no topo do qual havia um enorme pedregulho. O outro enveredava mais fundo pela floresta. Se ela corresse para a floresta, talvez pudesse se perder entre as árvores. Se decidisse pelo topo do penhasco, ficaria encurralada.

Naquele momento, as irmãs surgiram outra vez.

– Minha Rainha, podemos lhe garantir que se tomar o caminho que leva ao penhasco, sua morte será certa.

As irmãs falavam no tom mais sério que a Rainha jamais ouvira nelas. Suas vozes estavam desprovidas daquelas risadinhas horripilantes.

– Nós lhe suplicamos, vá para a floresta. Você estará segura lá. Podemos encontrá-la e reverter o feitiço de Velha Vendedora Ambulante. Perdoe-nos a nossa mentira...

A Rainha considerou suas opções. A floresta – segurança. Um refúgio para ela. Uma nova chance na vida.

Mas que tipo de vida? Ela rememorou o dia em que conheceu o Rei no poço. Lembrou-se da calidez das mãos dele sobre as suas... De como ela nunca havia sido tocada daquela forma, de como nunca ninguém a havia amado – *nunca*. O dia de seu casamento veio-lhe à lembrança, a alegria que sentira e que emanava de todos os cantos do reino – melhor ainda, de todos os cantos do mundo.

E também havia a Branca de Neve... Oh, ela amava aquela criança. Amava-a como a filha que de fato era, por direito de casamento. Tão bonita e pura. Uma criança tão precoce. Uma beldade verdadeira, que amava o Rei e honrava a sua memória vivendo plenamente a vida, mesmo após sua morte. Ao contrário da Rainha, que permitira que a traição, a dor e a vaidade a destruíssem. Ela se lembrou de como abraçara Branca quando lhe contou que o Rei havia sido morto... e do Festival da Maçã, e todos aqueles dias com Verona, e todos os piqueniques e cafés da manhã na saleta íntima.

A Rainha tivera tanto potencial dentro dela – tanto poder para tornar o mundo melhor... Mas, em vez disso, permitiu que a escuridão a guiasse, cegando-a para qualquer outra direção.

Os homenzinhos agora estavam bem perto. As irmãs tinham desaparecido novamente.

A Rainha olhou para o penhasco enquanto as nuvens a castigavam com a copiosa chuva e o céu parecia a chicotear com o estalar de relâmpagos. Ela olhou para cima e soube o que tinha que fazer.

Afinal de contas, ela havia escolhido o seu caminho muito tempo atrás.

EPÍLOGO

Branca de Neve piscou os olhos e despertou com o Primeiro Beijo de Amor.

Sentia-se cansada e estranha, mas em êxtase. Seu Príncipe viera atrás dela. Quebrara o feitiço. Ele a salvara. Talvez a maçã da velha megera, no fim das contas, fosse verdadeiramente mágica, porque os desejos de Branca de Neve tinham se tornado realidade.

Os dois se casaram logo depois, e na noite de seu casamento as árvores se encheram de vaga-lumes que piscavam na escuridão. O céu estava cintilante de tão estrelado, como miríades de minúsculos caquinhos de espelhos espalhados sobre as águas escuras do oceano. O castelo estava decorado com suas flores preferidas, cujo perfume lhe trazia à memória adoráveis lembranças. Branca dançou com o esposo no salão principal, imaginando suas duas mães dançando com ela, sorrindo, e desejando-lhe felicidade, enquanto o cilindro espelhado da Rainha girava, projetando deslumbrantes padrões nas paredes de pedra. Ela beijou o seu Príncipe.

Suprema felicidade.

Branca de Neve segurou a mão do Príncipe, perguntando-se como seria sua nova vida. Sem a madrasta, ela agora era a rainha de seu reino. E ela firmou propósito de governá-lo de forma justa e apaixonada, assim como o seu pai o fizera, e como a madrasta o teria feito, se as coisas tivessem sido diferentes.

Ela beijou o Príncipe novamente e olhou para as estrelas, sentindo um amor que jamais havia sentido antes.

Ela estava feliz.

A única coisa que lamentava naquele dia era a ausência de seu pai e de suas mães. Ela os havia perdido – todos os três – quando ainda era muito pequena. Pelo menos, era assim que encarava as coisas. Ninguém compreendia por que ela ainda amava a Rainha. Mas, para Branca, sua madrasta havia morrido no dia em que seu pai fora morto, e até aquele dia a mulher tinha sido um verdadeiro anjo da guarda para ela.

Mais tarde, naquela noite, sozinha em seu quarto, após um longo dia de festejos pelas bodas reais, Branca de Neve notou que a sua dama de companhia havia empilhado alguns dos presentes de casamento ao lado da lareira. Ela se enroscou em uma poltrona estofada de veludo, recolhendo os pés para um lado, e subitamente sentiu-se bem pequenina – como um passarinho.

Passarinho. Era como a madrasta costumava chamá-la.

Como desejava que estivesse ali com ela, agora. Como queria que ela não tivesse sido destruída por sua vaidade e dor. Ela arrastou um dos maiores pacotes do lado da cama e o abriu.

Era o espelho favorito de sua mãe. Aquele no qual se olhava obsessivamente.

Branca de Neve foi pega de surpresa quando o vidro encheu-se de línguas de fogo, seguidas de um redemoinho de névoa.

E, então, um rosto surgiu.

– Eu amo você, meu belo passarinho – disse a Rainha do Espelho Mágico. – Eu sempre a amei, e sempre vou amá-la.

A Rainha atirou um beijo à menina.

E Branca de Neve sorriu.

TIPOGRAFIA   GARAMOND E WINDLASS